COMMUNICATION ET SYNDICALISME

DES IMPRIMEURS AUX JOURNALISTES

NOTE LIMINAIRE

Qu'on veuille prendre note que la recherche et les divers textes préliminaires auxquels l'auteur a emprunté de larges extraits sont le fruit du travail de plusieurs personnes dont il convient de souligner la contribution. La Fédération nationale des communications et l'auteur tiennent en particulier à reconnaître la valeur de l'apport de:

— Richard Noreau, recherchiste;

— Robert Comeau, professeur au département d'histoire de l'UQAM;

— Lise Pépin, étudiante en histoire;

— Luc Desrochers, recherchiste, pour la partie traitant du syndicalisme chez les travailleurs de l'imprimerie (mémoire de maîtrise) et pour la recherche sur les syndicats de journalistes;

— Yves Desjardins, journaliste, pour sa monographie sur le Syndicat général du cinéma et de la télévision de Radio-Canada.

La Fédération nationale des communications tient enfin à souligner la contribution financière de l'Université du Québec à Montréal et la collaboration de ses Services à la collectivité durant les premières étapes ayant conduit à la réalisation de cet ouvrage.

Maurice Amram
François Demers

SOUS LA DIRECTION DE
FRANÇOIS DEMERS

COMMUNICATION ET SYNDICALISME

DES IMPRIMEURS AUX JOURNALISTES

Méridien
ÉDITIONS DU MÉRIDIEN

COUVERTURE : Conception graphique: Jean-Marc Poirier

PHOTOS : La photothèque La Presse.
Archives de la Confédération des syndicats nationaux.
Archives de la Fédération nationale des communications

ISBN 2-920417-75-4

© Éditions du Méridien — 1989

Dépôt légal 3e trimestre 1989 — Bibliothèque nationale du Québec

Imprimé au Canada

TABLE DES MATIÈRES

LES PRINCIPAUX SIGLES

A.C.S.J.: Alliance canadienne des syndicats de journalistes
C.C.R.O.: Conseil canadien des relations ouvrières
C.C.R.T.: Conseil canadien des relations de travail
C.L.I.: Commission de lutte à l'inflation
C.R.T.C.: Conseil de la radiodiffusion et des télécommunications canadiennes
C.S.D.: Centrale des syndicats démocratiques
C.T.C.C.: Confédération des travailleurs catholiques du Canada
C.U.P.E.: Canadian Union of Public Employees
F.C.I.I.: Fédération canadienne de l'imprimerie et de l'information
F.C.M.I.C.: Fédération catholique des métiers de l'imprimerie du Canada
F.I.J.: Fédération internationale des journalistes
F.M.I.C.: Fédération des métiers de l'imprimerie du Canada
F.N.C.: Fédération nationale des communications
F.P.J.Q.: Fédération professionnelle des journalistes du Québec
F.T.Q.: Fédération des travailleurs du Québec
I.T.U.: International Typographical Union
N.A.B.E.T.: National Association of Broadcasting Employees and Technicians
S.C.F.P.: Syndicat canadien de la fonction publique
S.G.C.: Syndicat général des communications
S.G.C.T.: Syndicat général du cinéma et de la télévision
T.N.G.: The Newspaper Guild
U.C.J.L.F.: Union canadienne des journalistes de langue française

AVANT-PROPOS

Ce texte est une oeuvre collective et largement anonyme. La recherche systématique et officiellement souhaitée des racines de la Fédération nationale des communications (F.N.C.) a débuté en 1979. Depuis, au fil des ans, diverses personnes se sont livrées à un premier traitement d'événements et d'épisodes. Leurs textes ont constitué la base du document final qui est présenté ici.

L'ingrédient principal que j'ai ajouté consciemment, privilège du rédacteur final, c'est l'éclairage fourni par un chapitre de ma propre vie: à la fin des années 60, j'ai participé très activement, à titre de président de syndicats de journalistes (au quotidien *L'Action* en 1967-68, puis au quotidien *Le Soleil* en 1970-71), tant à la création de la Fédération professionnelle des journalistes du Québec (F.P.J.Q.) qu'à celle de la F.N.C. J'ai gardé le souvenir d'un lien étroit entre ces deux événements: les deux fédérations sont toutes deux filles de syndicats de journalistes de la C.S.N. Elles sont nées à la fois rivales et complémentaires pour assurer toutes deux l'affirmation sociale et professionnelle des journalistes. Là où c'était possible, j'ai fait de cette hypothèse un fil conducteur.

En ce temps-là, comme aujourd'hui, il y avait aussi la pressante volonté des fondateurs de la F.N.C. de faire de celle-ci le rassemblement de toutes les sortes de travailleurs des médias de masse contre la tentation de repli sur leurs intérêts «professionnels», chez trop de journalistes. Cette orientation s'inscrivait d'ailleurs dans la tradition du syndicalisme catholique qui, depuis ses débuts, faisait la promotion de syndicats dits industriels (regroupant plusieurs corps de métiers) plutôt que du syndicalisme dit professionnel (chaque unité syndicale ne rassemblant que des membres de la même activité technique). Cet éclairage a servi de second fil conducteur.

Malheureusement, deuxième mise en garde, ce document ne rend pas vraiment justice à l'ouverture réelle de la F.N.C. sur les préoccupations des autres sortes de travailleurs et de travailleuses qui la composent. Aujourd'hui, les journalistes comptent pour à peu près le tiers des effectifs de la Fédération mais, de l'extérieur, on pourrait croire qu'ils sont seuls. Il est vrai qu'ils ont une grande habitude «professionnelle» des micros et des caméras et la réputation d'être de grandes gueules! Sans parler de leur longueur d'avance quand il s'agit de laisser des traces écrites!

Cela explique sans doute que depuis le début, la F.N.C. est considérée par le reste de la C.S.N. comme une «fédération de journalistes»[1] malgré que tout le monde sache par ailleurs la volonté officielle de la Fédération de devenir une fédération de tous les travailleurs et travailleuses des communications au sens le plus large du terme. En fait, l'identification aux journalistes est tellement forte que «même minoritaires, les journalistes s'y sont toujours crus majoritaires».[2]

Troisième mise en garde: cette histoire est incomplète. En particulier, elle ne met pas en évidence, comme elle le devrait, le rôle clé joué par les militants syndicaux des syndicats du quotidien *La Presse* tout au long de l'histoire de la F.N.C. Ainsi, à titre d'indice, on peut noter que, lors de la fondation, les syndiqués de *La Presse* comptaient pour la moitié des membres de la nouvelle fédération. De façon plus générale, il est même possible d'affirmer que les combats livrés par les syndiqués de *La Presse* ont scandé les moments forts de la syndicalisation des journalistes depuis la dernière guerre mondiale (1958, 1964, 1971).

Pourtant, à peine ce livre insiste-t-il un peu sur la grève de 1958 au quotidien de la rue St-Jacques. Parce que quelqu'un de la F.N.C. a pris l'initiative au cours des dernières années de rassembler des

---

1. Norbert Rodrigue, ex-président de la C.S.N., dans une entrevue accordée à l'auteur le 11 mai 1987.
2. Laval Le Borgne, ex-président de la F.N.C., dans une entrevue accordée à l'auteur le 23 avril 1987. Journaliste à *La Presse*, Laval Le Borgne a été président de la F.N.C. de 1972 à 1976, puis de 1980 à 1984. La F.N.C. n'a connu qu'un seul autre président: Maurice Amram, journaliste au poste de radio CKVL, président de 1976 à 1980 et à nouveau président depuis 1984.

matériaux précisément au sujet de cet événement et d'en rédiger une première synthèse qui est reprise ici dans un document hors-texte. L'autre raison de cette mise en évidence tient au fait que le conflit de 1958 a été la première véritable grève menée par des journalistes québécois.

De même, c'est parce que des dossiers plus systématiques avaient été déposés dans les classeurs de la F.N.C. que ce livre contient deux autres hors-texte d'importance: à propos du conflit de 1955 au *Devoir* et à propos de la syndicalisation des journalistes de Radio-Canada dans les années 60. Ces deux cas ont eux aussi été retenus, comme celui à propos du conflit à *La Presse* en 1958, parce qu'ils permettent de prendre la mesure du bouillonnement interne dans le milieu des mass média québécois à partir de la fin des années 50. Car, la F.N.C. de 1972 a été l'héritière lointaine (ou immédiate dans le cas de Radio-Canada) de ces durs combats menés par de véritables pionniers.

Quatrième mise en garde: ce texte est partial. Toutes les personnes qui ont participé à sa rédaction étaient animées par la volonté de mettre en lumière les bénéfices apportés par l'action syndicale. De plus, la version finale de cette histoire a été marquée par deux questions qui travaillent et que travaille la F.N.C. depuis le tournant des années 80.

La première concerne la profession de journaliste: pendant que montaient l'apolitisme et le reaganisme, les journalistes perdaient du poids en tant que professionnels des débats sociaux et politiques. Or, la F.P.J.Q. affiche un désarroi total devant cette réalité... Le pire c'est qu'en même temps, le monde des médias connaît une brusque accélération du développement technologique. Celui-ci contribue à disloquer les acquis, les juridictions et les compétences autant qu'il fait émerger de nouveaux métiers.

D'autre part, l'industrie québécoise des communications est entrée dans le jeu de la mondialisation et la problématique de la concentration de la propriété des médias a changé d'horizon. Les patrons des années 60 et 70 étaient des Canadiens français ou des Québécois pure laine. Ceux des années 80 sont des brasseurs d'affaires planétaires. Après avoir affronté des potentats locaux, puis les managers canadiens de chaînes et conglomérats, les syndicats des médias d'ici sont entrés dans l'ère des multinationales.

Pour faire face, la F.N.C. cherche du côté de la solidarité: appui à des syndicats qui ne lui sont pas affiliés, main tendue à la F.P.J.Q., démarches diverses auprès d'organisations internationales, invitations à des intellectuels...

C'est dans ce décor à ciel ouvert que j'ai aligné, dans le dernier chapitre, quelques-uns des événements qui font la vie quotidienne de la F.N.C. depuis le tournant des années 80.

François Demers
Juin 1988

P.-S. Remerciements sincères pour les consciencieux travaux de recherche et de traitement de texte accomplis à mon profit par madame Linda Lee et monsieur Michel-André Roy.

Chapitre I

De bonne souche

Au cours des décennies 60 et 70, de profondes transformations ont remodelé les grandes entreprises de l'industrie des mass média d'Amérique du Nord et en particulier le secteur des quotidiens. L'avènement de moyens de télécommunication de plus en plus variés, rapides et efficaces à compter de la Seconde Guerre mondiale et les progrès des modes de traitement de l'information, par l'emploi de l'ordinateur notamment, ont révolutionné l'univers des travailleurs à l'emploi de ces entreprises. Ces transformations ont mis fin à des prétentions, des pouvoirs et des qualifications ouvrières qui remontaient parfois à plusieurs siècles.

Longtemps, les travailleurs de l'imprimerie se sont perçus et ont été perçus par bon nombre de leurs contemporains comme la partie la plus digne des classes laborieuses, comme la couche la plus «intellectuelle» des travailleurs.

Ces prétentions ont correspondu pendant près de cinq siècles au monopole de l'imprimé comme véhicule de l'information et moyen d'éducation, comme outil de conservation et de transmission des connaissances, comme support matériel des doctrines religieuses et politiques. La situation unique du livre, puis du journal, a contribué fortement à parer d'une auréole les ouvriers qui s'affairaient à en composer lentement et méthodiquement chaque mot, chaque ligne et chaque paragraphe, jusqu'à complète retranscription des manuscrits, permettant ainsi leur diffusion sur une grande échelle.

La maîtrise des procédés typographiques était source de fierté, bien sûr, mais aussi de pouvoir. Durant toute cette période, aucune évolution de l'industrie de l'imprimerie n'avait entamé sérieusement le contrôle des compositeurs-typographes sur le fonctionnement de leur atelier. Et voilà que les changements des années 1960-1970 prennent une telle ampleur que ces techniques et la salle de composition elle-même, royaume jusque-là inviolable des typographes, sont tout simplement reléguées au folklore des activités productives.

«Dorénavant, le principal interlocuteur du patronat de la presse écrite ne serait plus le compositeur-typographe, maintenant en voie d'extinction, mais le journaliste qui, par sa nouvelle position dans l'entreprise et par sa récente syndicalisation (du moins au Québec), peut désormais prétendre à de meilleures conditions de travail et à une revalorisation de son statut professionnel.» [1]

C'est pourquoi on ne peut faire fi dans une histoire du syndicalisme chez les journalistes québécois de la longue expérience syndicale des imprimeurs, un corps de métier qui a été longtemps à l'avant-garde de la syndicalisation. D'autant plus qu'en 1925, une partie d'entre eux ont fondé, dans le cadre du syndicalisme catholique naissant, la Fédération catholique des métiers de l'imprimerie du Canada (F.C.M.I.C.), qui devait permettre aux journalistes québécois de s'insérer de façon permanente dans le mouvement syndical, quelque vingt ans plus tard.

Pionniers du mouvement ouvrier

En fait, les imprimeurs (le terme désigne ici les employés de l'imprimerie dont les typographes, et non les entrepreneurs en imprimerie) peuvent s'enorgueillir d'avoir établi bien des précédents dans l'histoire du mouvement ouvrier. Pour en donner un aperçu, il suffit de mentionner que ce sont les imprimeurs de New York qui ont formé

---

1. DESROCHERS, Luc, *Les travailleurs de l'imprimerie et la Fédération catholique des métiers de l'imprimerie 1921-1941*, mémoire présenté comme exigence partielle de la maîtrise en histoire, Université du Québec à Montréal, août 1986, pp. 10-12.

Le métier de typographe est l'une de ces fonctions, avec celle de linotypiste, de clicheur et d'autres de l'époque artisanale de l'imprimerie, qui ont disparu devant l'implantation des changements technologiques.

la première association nord-américaine vouée à l'amélioration des conditions d'exercice du métier et à l'obtention de meilleurs salaires.[2]

Au Canada, l'union ouvrière mise sur pied par 66 imprimeurs de la ville de Québec en 1827 constitue la première association du genre à être formellement créée en terre canadienne.[3] Ils sont suivis par les imprimeurs de Montréal qui forment leur propre association en 1833 et contribuent, l'année suivante, à la création de la *Montreal Trade Union*, considérée comme le premier conseil central ouvrier dans une localité du Canada. En fait, durant la décennie 1830, plusieurs asso-

---

2. ZERKER, S.F., *A History of the Toronto Typographical Union 1832-1925*, Ph. D. Thesis, University of Toronto, 1972, p. 23.
3. ROUILLARD, J. et BURT, J., «Le mouvement ouvrier» dans HAMELIN, J., dir., *Les travailleurs québécois*, 1851-1896, Montréal, Presses de l'Université du Québec, 1973, p. 65.

ciations d'imprimeurs se forment à travers le pays. La majorité de ces groupements n'ont toutefois qu'une existence éphémère.[4]

En dépit de la précarité de leurs associations, les imprimeurs se solidarisent très tôt avec les autres travailleurs (cordonniers, charpentiers, tailleurs, boulangers, etc.) regroupés en sociétés de métier en participant, par exemple, à des mouvements comme celui qui vise à l'obtention de la journée de 10 heures de travail.[5] Ce mouvement, impliquant autant les travailleurs du Canada que des États-Unis, illustre bien l'importance des relations qu'entretiennent les ouvriers des deux pays à l'époque.

L'intensité des relations entre les travailleurs de l'imprimerie du Canada et des États-Unis aboutissent en 1869 au regroupement des imprimeurs dans la première union syndicale ayant juridiction sur tout le continent, la *International Typographical Union of North America* (I.T.U.). Cette nouvelle organisation vient officialiser un fait unique dans les annales du syndicalisme: la cohabitation d'unions de travailleurs de pays différents au sein d'une même organisation syndicale. Elle signifie également la fin de l'ère des unions locales d'imprimeurs, c'est-à-dire sans affiliation américaine, et contribue à l'émergence de l'Ontario (Toronto) comme pôle du syndicalisme canadien. Cette région étant de surcroît la plus importante de l'industrie de l'imprimerie du pays, les imprimeurs de Toronto deviendront à ce moment le pivot des relations entre les typographes canadiens et américains.[6]

À partir de sa fondation, l'I.T.U. obtient progressivement le monopole de la représentation syndicale dans l'industrie de l'imprimerie en regroupant onze unions locales canadiennes.[7] Selon D.J.

---

4. Sauf peut-être la Toronto Typographical Union fondée en 1832 et qui subsiste encore aujourd'hui. C'est la seule union d'imprimeurs canadienne qui ait d'ailleurs fait l'objet d'une étude approfondie. Voir ZERKER, S.F., *The Rise and Fall of the Toronto Typographical Union*, 1832-1972, Toronto, UTP,1982, 397 p.

5. LIPTON, C., *The Trade Union Movement of Canada*, 1827-1959, Toronto, N. C. Press, 1973., p. 5.

6. FORSEY. E, *Le mouvement ouvrier du Canada*, 1812-1902, Ottawa, Coll. S.H.C., #27, 1975, p. 4.

7. Outre les unions mentionnées à la note 6, celles d'Ottawa #102 (1867), de Hamilton #129 (1869), de Halifax #130, de London #133 (1869), de Montréal #145 (1870), de de St. Catharines #416 (1870), de Québec #159 (1872) et #160 (1872) ont adhéré à l'I.T.U. Voir FORSEY, E., *Trade Unions in Canada*, 1812-1902, U.T.P., 1982, p. 47. Pour les motifs et le processus de ces affiliations voir LIPTON, C., *Histoire du syndicalisme au Canada*, 1827-1959, Montréal, Parti Pris, 1976, pp. 41-45.

O'Donoghue, le dirigeant syndical le plus influent de l'époque, ces progrès confèrent à l'Internationale, tant du point de vue numérique que du point de vue influence, une importance comparable à celle que détiennent les unions de briqueteurs, de mouleurs, de cigariers, comparable aussi à celle de la Fraternité américaine des charpentiers et de la Société amalgamée des charpentiers et menuisiers de Grande-Bretagne.[8]

Les changements technologiques, déjà!

Au tournant du siècle toutefois, les innovations technologiques provoquent une telle différenciation dans les activités qui composent alors le métier d'imprimeur que plusieurs de ces activités sont devenues des métiers spécifiques.[9] L'un des effets de ces transformations est la formation de nouvelles unions internationales d'imprimeurs créées à partir de l'I.T.U., en marge d'elle ou par l'action conjointe d'affiliées de l'I.T.U. et d'unions indépendantes. Ainsi, entre 1889 et 1915, cinq de ces unions sont créées par les pressiers, les relieurs, les lithographes, etc.[10] Au Québec, de 1867 à 1913, l'ensemble des unions internationales de l'imprimerie regroupe une bonne dizaine d'unions locales, à Québec et Montréal essentiellement.

Il n'y a pas que leur «internationalisme» qui projette les imprimeurs aux premiers rangs du mouvement ouvrier: les luttes que leur

8. LOGAN, H.A., *Trade Unions in Canada: Their development and Functionning*, Toronto, Macmillan, 1948, p. 49.
9. À propos des effets des changements technologiques sur la structure syndicale dans l'industrie de l'imprimerie, voir: BAKER, E.F., *Displacement of men by Machines*, New York, Columbia University Press, 1933, 284 p. et *Printers and Technology*, New York, Greenwood Press, 1974, 545 p. Voir aussi: ZIMBALIST, A., «Technology and the Labor Process in the Printing Industry», dans Idem, *Cases Studies on the Labor Process*, New York and London, Monthly Review Press, 1979, pp. 103-126.
10. Il s'agit de l'International Printing Pressmen and Assistant's Union (I.P.P.A.U., 1889-1973), de l'International Brotherhood of Bookbinders (I.B.B., 1892-1972), de l' International Stereotypers and Electrotypers' Union (I.S.E.U., 1902-1973), de l'International Photo-Engravers' Union (I.P.E.U.N.A., 1904-1964), enfin de l' Amalgamated Lithographers of America (A.L.A., 1915-1964). Voir: LOGAN, H.A., op. cit., p. 106. Les dates sont tirées de FINK, G.M., ed. in chief Labor Unions, *The Greenwood Encyclopedia of American Institutions*, Greenwood Press, 1977, 520 p.

adhésion aux grands mouvements syndicaux permet de mener y sont pour beaucoup. Parmi elles, la plus importante est sans contredit la grève des imprimeurs de Toronto de 1872. Cette grève pour l'obtention de la journée de neuf heures de travail a marqué l'histoire du syndicalisme canadien parce qu'elle a provoqué l'adoption d'une loi fédérale sur les syndicats ouvriers (Trade Union Act) qui reconnait pour la première fois la légitimité des associations de travailleurs. «Ce fut là le premier véritable succès politique des syndicats canadiens.»[11] Cette victoire est aussi importante d'un autre point de vue. Ce que les imprimeurs de Toronto viennent d'obtenir, la semaine de 54 heures, constitue un précédent dans toute l'industrie de l'imprimerie nord-américaine. Même les unions les plus puissantes de l'I.T.U. (New York, Chicago, Boston, etc.) ne bénéficieront de conditions semblables qu'à la fin du XIXe siècle.

Par la suite, c'est plutôt la concurrence intersyndicale très vive entre les Chevaliers du travail et les unions internationales de métier qui fournit l'occasion aux imprimeurs d'occuper à nouveau le devant de la scène syndicale canadienne.

Durant les deux dernières décennies du XIXe siècle, il était courant de rencontrer des syndiqués canadiens appartenant simultanément aux Chevaliers du travail et aux unions internationales de métier malgré les différences marquées entre ces mouvements syndicaux d'origine américaine.

Alors que les Chevaliers du travail proposent une réforme totale de la société industrielle, les unions de métiers aspirent simplement à la protection économique de leurs membres à l'intérieur du système capitaliste. Il en découle des méthodes d'action tout à fait différentes: les Chevaliers prônent le coopératisme, l'éducation, l'arbitrage obligatoire et l'action politique tandis que les unions internationales inclinent vers des méthodes de pression comme la grève, les négociations collectives et l'action politique non partisane. En outre, les Chevaliers ont une orientation pancanadienne. Enfin, les Chevaliers mettent l'accent sur la solidarité de la classe ouvrière dans sa lutte contre le capitalisme et s'opposent à la division des travailleurs par métier. [12]

---

11. FORSEY, E., *Le mouvement ouvrier au Canada,* 1812-1902, Ottawa, Coll. S.H.C., #27, 1975, p. 7.
12. ROUILLARD, J. et BURT, J., loc. cit., p. 109.

Les membres canadiens des deux mouvements ont même fondé conjointement le Congrès des métiers et du travail du Canada (C.M.T.C.), l'actuel Congrès du travail du Canada (C.T.C.), en 1886. Leur coexistence à l'intérieur de cet organisme ne suscite pas de difficulté jusqu'au moment où le déclin de l'influence des Chevaliers parmi les travailleurs et le développement de celle des unions internationales imposent un réaménagement des pouvoirs de représentation de chacun. C'est alors la concurrence intersyndicale, le dualisme syndical comme on l'appelle à l'époque, qui devient le problème numéro un dans le mouvement ouvrier.

Le syndicalisme confessionnel

Lorsque les syndicats catholiques québécois conjuguent leurs efforts pour fonder la Confédération des travailleurs catholiques du Canada (C.T.C.C.) en 1921, ils créent par le fait même une troisième centrale syndicale œuvrant dans la province.[13] Au même moment, le syndicalisme catholique connaît un développement remarquable chez les imprimeurs.

Il existe bien sûr des imprimeurs appartenant à des syndicats confessionnels avant cette époque. Par exemple, la Corporation ouvrière catholique de Trois-Rivières a eu une section d'imprimeurs de 1913 à 1917.[14] De même, un syndicat catholique d'imprimeurs avait vu le jour à Québec en 1916 à la suite d'une grève menée par l'union internationale à laquelle appartenaient les typographes de l'Action catholique.[15] Cependant, leur influence n'a pas débordé les limites de leur ville respective. Il revient plutôt aux imprimeurs de Montréal et

---

13. Sur cette centrale, voir: ROUILLARD, J., *Histoire de la C.S.N. 1921-1981*, (S. L.), Boréal Express, Confédération des syndicats nationaux, 1981, 335 p. La C.S.N. a été désignée par le nom de C.T.C.C. de 1921 à 1960.
14. MINISTÈRE DU TRAVAIL, *Labor Organization in Canada*, Ottawa, 1917, p. 221. Sur la corporation, voir: ROUILLARD, J., *Les syndicats...*, pp. 191-193.
15. SYNDICATS CATHOLIQUES ET NATIONAUX DE MONTRÉAL, *Programme-Souvenir de la Fête du Travail*, 1944, p. 9.

de Hull d'avoir mis sur pied une véritable alternative à l'unionisme international.

Le 4 août 1921, le syndicalisme confessionnel fait en effet son entrée dans l'imprimerie montréalaise sous la forme du Syndicat catholique et national des typographes.[16] Sa fondation survenant quelques jours à peine avant l'ouverture du congrès annuel de l'I.T.U., à Québec,[17] on comprend que les unions de Montréal qui lui sont affiliées saisissent l'occasion pour réitérer leur demande d'une représentation canadienne plus adéquate sur les hautes instances de l'Internationale. C'est donc vraisemblablement le mécontentement à l'égard de l'I.T.U. qui permet à certains typographes «d'ouvrir le bal» des adhésions au syndicalisme catholique.

Comme le souligne une interview de Roland Thibodeau, un des initiateurs du syndicalisme catholique dans l'imprimerie, «nous sommes entrés dans les syndicats catholiques parce que les typographes, affiliés à l'Union Internationale et membres d'un des plus anciens syndicats qui soient, se prenaient pour le nombril de l'univers. Ils n'organisaient que les typos et ne s'occupaient pas des autres métiers.»[18] M. Thibodeau est le père de l'actuel trésorier de la Fédération nationale des communications, René Thibodeau.

Au moment où les syndicats catholiques d'imprimeurs font leur apparition, la C.T.C.C., à laquelle ils sont affiliés, commence à adapter ses structures aux exigences de la négociation collective. En effet, l'idée de regrouper les différents syndicats d'un même métier ou d'un même secteur industriel dans un organisme dont le but essentiel serait de faciliter la négociation de contrats collectifs de travail s'est déjà concrétisée dans le cas des travailleurs des pâtes et papiers et de ceux de la construction.[19] Les imprimeurs s'engageront rapidement dans cette voie et donneront à la C.T.C.C. sa troisième fédération professionnelle, la Fédération catholique des métiers de l'imprimerie du Canada (F.C.M.I.C.).

---

16. Ibid., 1943, p. 47; *Album-Souvenir*, 15e Anniversaire de la F.C.M.I.C., 1925-1940, p. 21 (Désormais Album-Souvenir...).
17. ROUILLARD, J., *Les syndicats...*, p. 272.
18. Roland Thibodeau, interviewé par Pierre Vennat, in *Le Trente*, septembre-octobre 1966, p. 14.
19. ROUILLARD, J., *Les syndicats...*, p. 240. La Fédération des employés de la pulperie et de papeteries fut fondée en 1923, celle des métiers de la construction le fut en 1924.

Au cours de son histoire, la F.C.M.I.C. a changé par deux fois son appellation. En 1943, elle a marqué officiellement l'abandon de son caractère confessionnel en devenant la Fédération des métiers de l'imprimerie du Canada (F.M.I.C.). En 1960, elle rend compte de la nouvelle importance de ses membres journalistes en adoptant le titre de Fédération canadienne de l'imprimerie et de l'information (F.C.I.I.). En 1972, après une décennie de luttes intestines opposant imprimeurs et journalistes, elle disparaît pour donner lieu à la fondation de la Fédération nationale des communications (F.N.C.).

Chapitre II

À l'ombre des imprimeurs

Les journalistes québécois, en tant que corps de métier, ne se sont hissés au rang d'acteur social qu'au tournant des années 1970. Mais cela ne veut pas dire qu'il n'y a pas eu avant cette éclosion de multiples tentatives, parfois modestes, parfois ambitieuses, de structurer le groupe, tantôt en mettant sur pied un simple club social, tantôt en rêvant d'une corporation, tantôt en fondant un syndicat.

En fait, les premières tentatives de regroupement et d'organisation des journalistes remontent à 1850. Environ 20 journalistes se réunissent dans un restaurant de Montréal pour «améliorer les relations entre les membres de la profession». Mais aucune autre rencontre ne suit. Cinq ans plus tard, à une réunion du *Upper Canada Press Association*, les délégués du Québec décident de former une association semblable pour le Bas-Canada. Cette dernière dure 20 ou 30 ans. L'association organise des rencontres avec les journalistes canadiens et américains, des excursions annuelles, etc. Elle s'attarde aussi aux tarifs postaux, à l'amélioration des services télégraphiques, aux moyens d'assurer le paiement plus fidèle des abonnements et encore, à l'occasion, à prendre des mesures pour acquitter l'amende encourue par un confrère accusé de libelle.[1]

La deuxième poussée se situe au tournant du siècle, au moment où rien n'est épargné pour augmenter le tirage des journaux. La concurrence dans les «scoops», la spécialisation dans les fausses pri-

---

1. VENNAT, Pierre, «Courte histoire du syndicalisme journalistique québécois», manuscrit non publié, p. 1, cité dans BARRETT, Bernard, *Les journalistes québécois*, thèse présentée à l'école des gradués de l'Université Laval pour l'obtention du grade de maîtrise en sciences sociales, novembre 1980.

meurs fortement teintées par l'imagination de leurs auteurs, l'importance donnée aux affaires de meurtre, l'apparition, en 1901, de la couleur et des gros titres de premières pages, en d'autres mots le journalisme à sensation, transforment le rôle des entreprises de presse. Comme le soulignent Hamelin et Beaulieu, dans une étude sur le journalisme, «la sensation attire les lecteurs: les tirages montent en flèche. *La Presse* a 20 000 lecteurs en 1885, 63 000 en 1899 et 121 000 en 1913; *La Patrie* passe de 5 000 lecteurs en 1879 à 27 488 en 1901.»[2] C'est la naissance de la presse de masse. C'est aussi le début d'un processus «d'ouvriérisation» du journalisme.

L'industrie de la presse

L'industrialisation de la profession, avec l'accentuation de la division du travail et l'introduction du salariat, modifie les rapports du producteur à son produit. C'est la primauté du produit sur la signature.

Bien sûr, dans les salles de rédaction désormais industrialisées, il restera quelques grandes plumes, quelques noms vedettes, quelques chroniqueurs autorisés à afficher leurs humeurs ou celles de la direction. Mais le plus grand nombre des journalistes fait désormais partie d'une machine de reportage et de mise en page. Devenus reporters et gens du pupitre, interchangeables les uns par les autres, les journalistes collaborent à un produit standardisé, largement impersonnel et anonyme, si ce n'est sa couleur maison. Ainsi, dépouillés de leur panache les «chevaliers de la plume», devenus salariés, se retrouvent, avec leurs salaires parcimonieux, face à une existence précaire. Dans ce contexte, les journalistes tentent une première fois de se regrouper en syndicat. Un témoignage de Léon Trépanier, journaliste à *La Presse* au début du siècle, rappelle les circonstances entourant cette première tentative d'organisation syndicale. «Une réunion, raconte-t-il, eut lieu à l'hôtel de ville (de Montréal), le 29 juillet 1903, pour former l'Association des journalistes canadiens-français. On traça l'ébauche d'une constitution et l'on élit un conseil: (...) Comme cela

---

2. HAMELIN, Jean et BEAULIEU, André, «Aperçu du journalisme québécois d'expression française» in *Recherches Sociographiques*, vol.7 no. 3, 1966, p. 323.

devait se produire maintes fois par la suite, le syndicat fut étouffé dans l'œuf. M. Trefflé Berthiaume (alors propriétaire de *La Presse*) convoqua à son bureau chacun des conjurés. Usant de toute son amabilité naturelle, il fit comprendre dans quelle impasse l'on s'engageait. Et le train-train recommença, avec ses joies et ses déceptions... et les salaires, eux aussi, restèrent dans le statu quo.» [3]

En 1920, a lieu la fondation de l'Union des journalistes de Montréal. Soixante-dix journalistes francophones et anglophones, ce qui représente une grande majorité des journalistes montréalais, en sont membres. Affiliée à l'Union typographique internationale de l'Amérique du Nord (I.T.U.), l'association apporte des améliorations aux conditions de travail, mais après un an ou deux, elle meurt «d'un manque d'enthousiasme».

En 1926, paraît *Le Journaliste canadien-français* publié «afin que les hommes publics et les journalistes se connaissent mieux». Dans le premier numéro, on promet, pour le numéro suivant, un article soulignant l'opposition à une union ouvrière. Lors de la parution de ce deuxième numéro, on n'y retrouve aucun article de ce genre; en fait, la revue propose la neutralité absolue dans tous les domaines, sauf un: «Le journaliste est catholique.» [4]

Le Droit : premier syndicat de journalistes

Au lendemain de la fondation de la Confédération des travailleurs catholiques du Canada (C.T.C.C. fondée en 1921), les rédacteurs et nouvellistes du quotidien *Le Droit* d'Ottawa forment, en 1922, le premier syndicat de journalistes. Celui-ci est assez actif pendant ses premières années d'existence, mais il disparait en 1929. Dans un numéro du *Journaliste canadien-français*, on signale que parmi les dirigeants de ce premier syndicat se trouvent «des personnalités très connues aujourd'hui au Canada français, comme Jules Léger, maintenant sous-secrétaire d'État aux Affaires Extérieures, Fulgence Charpentier qui

---

3. Ce témoignage est tiré de l'interview que Léon Trépanier accordait à Roland Prévost et qui est publié dans *Le Journaliste canadien-français*, vol.1, no. 4, août 1955, p. 7.
4. VENNAT, Pierre, op. cit.

fut autrefois commissaire et échevin de la ville d'Ottawa et qui occupe aujourd'hui le poste d'attaché culturel en Uruguay et Harry Bernard, directeur du courrier de Saint-Hyacinthe et écrivain bien connu».[5] M. Léger fut par la suite gouverneur général du Canada et M. Charpentier ambassadeur du Canada dans de nombreux pays d'Amérique latine.

Mais cette association éphémère est victime du fort taux de roulement à la salle de rédaction du *Droit*. Cependant, l'aspect principal de la disparition de ce premier syndicat réside dans le fait qu'à cette époque on nie tout simplement au travailleur intellectuel le droit d'association, soit-elle catholique. À preuve, l'année même de la dislocation du syndicat des journalistes du *Droit*, une deuxième tentative d'association syndicale chez les journalistes de *La Presse* est décapitée par la répression patronale. En effet, un nouveau mouvement de syndicalisation, en 1929, chez les journalistes du journal de la rue St-Jacques, coûte non seulement leur emploi aux deux principaux leaders de cette action renvoyés sur le champ, mais de plus, tous les autres journalistes sont pris à la gorge par le propriétaire qui, sous la menace de renvoi immédiat, leur fait signer une renonciation à toute idée d'union.

Roger Mathieu, un pionnier du syndicalisme chez les journalistes, devenu par la suite président de la C.S.N., décrit ainsi cette tentative d'organisation: «Le noyau de 1929, dit Mathieu, a eu une existence plutôt éphémère. Le recrutement s'était fait clandestinement, selon l'esprit et l'atmosphère de l'époque. Lors de la première réunion, tenue un samedi, on discuta de la procédure à suivre dans les jours critiques qui suivraient. Mais, dès le lundi matin, les deux principaux animateurs, Adrien Arcand, connu par la suite comme chef fasciste, et Hervé Gagné, trouvèrent sur leur dactylo un avis laconique de congédiement. Les autres membres furent convoqués devant le rédacteur en chef Oswald Mayrand pour un avis formel. Tous durent signer une formule préparée et imprimée d'avance, par laquelle ils s'engageaient à n'adhérer dans l'avenir à aucun organisme du genre, et reconnaissaient à l'employeur le droit de les congédier sur le champ, sans plus de formalité, s'il leur arrivait de manquer à cet engagement...» [6]

---

5. *Le Journaliste canadien-français*, vol. 1, no. 3 (juillet 1955), p. 10.
6. *Le Journaliste canadien-français*, vol. 1, no. 5 (octobre 1955).

En 1921, le Syndicat catholique des pressiers avait été reconnu par la direction de *La Presse*, mais seulement après une longue lutte. D'après Roland Thibodeau, les journalistes, au contraire, n'ont pas réussi à se syndiquer en 1929, puisqu'ils essayaient de rester indépendants des autres syndicats du journal.[7] Quand, en 1944, les employés de la salle des nouvelles de *La Presse* réussirent enfin à s'organiser, ce fut en tant que local du Syndicat de l'industrie du journal. Mais une fois syndiqués, toujours selon Thibodeau, les journalistes de *La Presse* se sont intéressés immédiatement à la formation d'un syndicat distinct. Mais ceci ne sera accompli qu'en 1954, avec la création du Syndicat des journalistes de Montréal.

Du côté de Québec

Après l'échec de 1929 à *La Presse*, il allait appartenir aux journalistes de *L'Action catholique* de faire renaître un syndicat dans la profession. Les bases en sont posées en 1936, l'année même où l'Église catholique, lors de la quatorzième session des Semaines sociales du Canada, prêchait l'association professionnelle sur le terrain confessionnel.

Le Syndicat des journalistes de *L'Action catholique* s'affilie à la Fédération catholique des métiers de l'imprimerie du Canada (F.C.M.I.C. fondée au congrès de la C.T.C.C. de 1925) et signe un premier contrat de travail. *L'Action catholique* étant «un journal chargé d'une mission»,[8] le syndicat confessionnel des journalistes, loin de mettre en cause les prérogatives de la direction, assuma l'œuvre de cette entreprise de presse dans la sauvegarde et la préservation contre les principes révolutionnaires (d'anti-cléricalisme, de radicalisme, d'anarchisme et de socialisme) des unions internationales.

Le thème de la lutte contre les unions internationales se retrouve à l'occasion de l'offensive en 1937 de l'*American Newspaper Guild*

---

7. VENNAT, Pierre, «Recueil de propos», dans *Le Trente*, vol. 2, no. 3, Montréal, 1966, p. 14.
8. JONES, Richard, *L'idéologie de L'action catholique, 1917-1939*, Québec, P.U.L., 1974, p. 1.

pour syndiquer les journalistes des quotidiens de Toronto et de Montréal. Cette tentative de syndicalisation se produit au moment même où «les reporters et les éditeurs de journaux des États-Unis engagent une lutte ouverte»[9] sur les questions de la reconnaissance syndicale et de l'atelier fermé. À Montréal, on cherche à construire une organisation régionale et bilingue pour les journalistes de la métropole. Mais, les congédiements de R.A.C. Ballantyne, président de la section locale de la *Guild*, et de deux autres militants syndicaux par l'éditeur de la *Gazette*, font échec à l'association syndicale. De plus, c'est l'époque de la «loi du cadenas» qui associe syndicalisme et communisme et le premier ministre de la province intervient. Maurice Duplessis «avertit les chefs ouvriers (des unions internationales) qui réclamaient la reconnaissance de leurs unions par le gouvernement, de purger leurs rangs des communistes qui, dit-il, occupent de hautes positions dans certaines unions.» [10]

Reconnaissance du droit d'association

Enfin, arrive en 1944 la loi instituant une commission de relations ouvrières. En vertu de cette loi, sanctionnée le 3 février 1944, les journalistes, comme l'ensemble des travailleurs, jouissent du droit d'association et de tous les privilèges qui s'attachent à cet avantage. En fait, c'est «poussé par l'acuité de certains conflits ouvriers dans la province et par les associations ouvrières qui, dans leur mémoire annuel de recommandations au ministère provincial du travail, demandaient, depuis longtemps déjà, une législation pour obliger les employeurs à traiter avec l'union qui représentait la majorité des salariés à leur emploi, que le gouvernement adoptait, à sa session 1944, la loi créant la Commission de relations ouvrières du Québec.» [11]

Cette loi annule l'engagement imposé à la suite de la tentative de syndicalisation de 1929 et par lequel les journalistes de *La Presse* convenaient de ne pas s'affilier à une union. Fort de l'appui du déjà puissant Syndicat de l'industrie du journal inc., les journalistes de *La*

---

9. *Le Canada*, 30 juin 1937, p. 1.
10. *Le Canada*, 10 novembre 1937, p. 10.
11. Rapport du ministre du travail, 1943-1944, p. 13.

Presse, le 8 mars 1944, deviennent membres de ce syndicat. Dès ce moment, la section des journalistes du Syndicat de l'industrie du jour-

Gérard Picard, président sortant de la Confédération des travailleurs catholiques du Canada, félicite le nouvel élu à ce poste, Roger Mathieu.

nal soumet ses demandes à l'administration de *La Presse* et les négociations commencent. Le 17 mai de la même année 1944, un communiqué publié par l'ensemble des journaux de Montréal annonce qu'un premier contrat de travail a été signé entre les journalistes et l'administration de *La Presse*.

Le Syndicat de l'Industrie du journal regroupait, depuis près d'une décennie, non seulement l'ensemble des métiers liés à la fabrication d'un journal (moins les typographes et les journalistes), mais aussi la quasi-totalité des employés des journaux de Montréal. Dans un numéro de *L'Imprimeur*, on trace l'histoire de ce syndicat. «En juin 1935, dit le journal, le syndicat des pressiers de journaux obtint de la Fédération de l'Imprimerie (F.C.M.I.C.) la permission de joindre à son mouvement tous les travailleurs des journaux sans distinction de métier. Ainsi naissait le Syndicat de l'industrie du journal. Les réactions favorables et spontanées prouvèrent que la formule répondait à une nécessité. Car dès le mois suivant, soit en juillet 1935, les distributeurs de journaux à *La Presse*, au *Devoir*, et à *L'Illustration* (devenu par la suite *L'Illustration nouvelle* puis *Montréal-Matin*) fondèrent une section. Aussitôt après suivirent les préposés à l'expédition. En septembre 1935, les employés de l'adressographe adhèrent au mouvement. Puis enfin, ceux de la rétrogravure vinrent grossir les effectifs. De la sorte, il fut possible de regrouper graduellement les employés des journaux déjà mentionnés, ainsi que ceux du *Canada* le 6 juin 1936, les pressiers, les clicheurs, les distributeurs, les préposés à l'adressographe, les expéditeurs et les pressiers en rétrogravure formaient un conseil portant le nom de comité exécutif du Syndicat de l'industrie du journal.» [12]

Le Syndicat des journalistes de Montréal

Entre les périodes de négociation qui ont lieu à *La Presse* en vue de la signature d'un premier contrat de travail, le 10 mai 1944, des journalistes de *La Presse*, du *Petit Journal* et de *Photo-Journal* fondèrent, le 10 avril 1944, le Syndicat des journalistes de Montréal, le S.J.M., à titre de section du Syndicat de l'industrie du journal, en présence de Hormidas Délisle, président du Syndicat de l'industrie du journal (devenu par la suite ministre dans le cabinet de Duplessis) et de Sarto Lacombe, trésorier de ce même syndicat. Dès décembre 1944, les membres de la rédaction de *La Patrie*, qui s'étaient joints en bloc au syndicat, signaient un contrat de travail avec les patrons de cette entreprise.

Au cours de l'année suivante, des cellules syndicales de journalistes greffées aux syndicats des imprimeurs se forment à Ottawa, Québec et même dans la région de Chicoutimi. Ainsi, dès 1945, des journalistes du *Droit* d'Ottawa, du *Montréal-Matin*, et du *Devoir* à Montréal, de *L'Action catholique* et du *Soleil* à Québec, du *Nouvelliste* à Trois-Rivières, et du *Progrès du Saguenay*, s'étaient joints au mouvement amorcé par les journalistes de *La Presse*, du *Petit Jour-*

---

12. *L'Imprimeur* (organe des ouvriers syndiqués de l'imprimerie F.C.M.I.C.), mai-juin 1955, p. 35.

nal, du *Photo-Journal* et de *La Patrie*. Le S.J.M. comptait déjà 150 membres dans le district métropolitain. De fait, la plupart des salles de nouvelles des grands quotidiens francophones sont syndiquées entre 1944 et 1954. Les quotidiens anglophones du Québec ne se sont syndiqués qu'à partir de 1970.

En 1944, l'*American Newspaper Guild* a repris son expansion au Canada en syndiquant les employés de plusieurs quotidiens torontois. Les dates de fondation des premiers syndicats au Canada anglais et au Québec sont donc essentiellement les mêmes. Par contre, au Canada anglais, les journalistes sont membres au départ d'un syndicat exclusivement formé de journalistes, quelque chose qui ne s'est accompli au Québec que pendant les années cinquante.

Le 21 février1948, après seulement quatre années d'existence, le Syndicat des journalistes de Montréal devient un organisme autonome tout en demeurant affilié à la C.T.C.C., à la Fédération des métiers de l'imprimerie du Canada, au Conseil syndical des métiers de l'imprimerie, et au Conseil central des syndicats nationaux de Montréal. Selon le texte de la *Gazette officielle du Québec*, en date du 21 février 1948, avis fut donné qu'en vertu de la Loi des syndicats professionnels, une société a été formée, sous le nom de *Le Syndicat des journalistes de Montréal*, ayant pour but «l'étude, la défense et le développement des intérêts économiques, sociaux et moraux de ses membres»,[13] d'après l'autorisation du 3 février 1948 du Secrétaire de la province de Québec.

À ce moment, le S.J.M. compte 250 membres dans le district montréalais, ce qui représente plus de 90 pour cent des journalistes de langue française de la métropole. L'organisme métropolitain a signé des ententes à *La Presse* et à *La Patrie* en plus de posséder des locaux au *Devoir*, au *Montréal-Matin*, au *Petit Journal*, au *Photo-Journal*, au *Canada* et au *Front ouvrier*. En vertu de la nouvelle constitution chaque local a élu son exécutif et ses délégués au conseil général.

---

13. *Gazette officielle du Québec*, tome 80, no. 8, Québec, 21 février 1948, p. 652.

Un mouvement provincial

En province, la constitution de corps autonomes pour les cellules syndicales de journalistes, appartenant aux syndicats d'imprimeurs, ne se réalise qu'au tournant de la décennie des années 50. Le 8 juillet 1950, le Syndicat des journalistes de Québec demanda d'être affilié directement à la Fédération des métiers de l'imprimerie du Canada. Quatre-vingt-dix pour cent des journalistes de la ville de Québec adhèrent au nouvel organisme qui regroupe les membres des rédactions du *Soleil*, de *L'Événement-Journal* et de *L'Action catholique*. Parallèlement, une demande d'accréditation syndicale est faite à la Commission des relations ouvrières du Québec. À cause de délais techniques, le bureau de la F.M.I.C. n'accepte que le 21 décembre 1950 la demande d'affiliation du Syndicat des journalistes de Québec.

Durant cette même période, à Ottawa, «à la suggestion de Maurice Vassart et de Pierre de Bellefeuille, président et vice-président de la section des journalistes du Syndicat de l'Imprimerie du *Droit*, les employés de la rédaction du journal décident de se séparer de la cellule mère et se constituer en organisme autonome désigné sous le nom: Le Syndicat des journalistes d'Ottawa (S.J.O.)».[14] Dès le 7 novembre 1950, la demande d'affiliation du nouvel organisme est acceptée par la F.M.I.C.

Mais ce n'est qu'en 1954 qu'apparaît le premier véritable syndicat de journalistes, légalement reconnu. En effet, le 12 janvier de cette année-là, le Syndicat des journalistes de Montréal est officiellement accrédité auprès de la Commission des relations ouvrières de la province de Québec. Le processus de son émancipation s'est étendu sur une décennie entre le moment (1944) de la première syndicalisation (réussie) de ses membres et la reconnaissance de sa pleine existence juridique.

En 1948, la vente du *Soleil* a permis l'accréditation du syndicat, mais la première convention collective n'est signée qu'en 1950 après que les employés du *Soleil* se soient joints à leurs confrères de L'*Action* pour former le syndicat des journalistes de Québec. *La Tribune* de Sherbrooke reconnaît le syndicat en 1953, après une bataille de trois ans. La direction du *Nouvelliste* a reconnu le syndicat en 1951

---

14. *Le Journaliste canadien-français*, p. 10.

pour le briser presque complètement avec un lock-out presque six ans plus tard.

La centralisation

Pourquoi le vrai mouvement de syndicalisation des journalistes n'a-t-il débuté qu'après 1944? La Loi des relations ouvrières a sans doute joué un rôle important. D'autre part, il n'y a pas eu de distance significative entre les dates de naissance du mouvement de syndicalisation au Québec et au Canada anglais. Mais la raison la plus centrale, c'est sans doute qu'avant la Deuxième Guerre mondiale, la plupart des journaux au Québec étaient des petites entreprises familiales et ne se prêtaient pas au syndicalisme. À l'intérieur de ces petites entreprises, les employés des salles de nouvelles, très peu nombreux, étaient à la remorque des employés de l'imprimerie.

Pendant les années 20, il y avait environ six cents journalistes au Québec, dont la moitié seulement étaient francophones. À partir de 1941, il y avait environ 1 200 journalistes anglophones et francophones au Québec. Ce nombre a atteint 2 000 en 1951, quand le mouvement de syndicalisation a atteint un summum. La démographie des journalistes était aussi en transition. Malgré que le niveau d'éducation demeurait sensiblement le même que celui de la population en général, l'âge moyen des journalistes québécois avait baissé du groupe 35-50, jusqu'au groupe 25-34 ans.

En 1951, le salaire moyen avait atteint 3 500 $ par année, le double de ce qu'il était en 1941. Mais le facteur le plus important est peut-être la centralisation, un mouvement commun à tous les secteurs de la vie québécoise à cette époque. Soixante-dix pour cent des journalistes québécois travaillent dans la région de Montréal à partir de 1951. Ce processus de centralisation géographique a sans doute joué un rôle majeur dans la syndicalisation du journalisme québécois. En 1953, la majorité des journalistes de la presse écrite est syndiquée. Dans la presse électronique, les journalistes de C.B.C. et Radio-Canada sont membres de T.N.G. En 1951, l'Association professionnelle des employés de postes radiophoniques a été fondée afin de représenter les journalistes de la radio. Elle suit pas à pas les syndicats de la presse écrite, c'est-à-dire les employés de CKAC, une fois que les employés de la maison mère de cette station, c'est-à-dire *La Presse*, sont syndiqués, et les employés de CHLP, une fois que le propriétaire, aussi propriétaire de *La Patrie*, a à composer avec un syndicat de journalistes dans ce journal.

Les premiers conflits

Entre 1954 et 1964, deux événements majeurs marquent les relations de travail dans les industries de communication. D'abord la grève à *La Presse* en 1958. «Une grève spectaculaire survient le 1er octobre 1958 au quotidien *La Presse*, à Montréal. Le journal doit cesser sa publication pour la première fois en 74 ans d'existence. Le débrayage spontané des journalistes, se termine au bout de 13 jours par une victoire syndicale. À l'origine du conflit, il y a le refus de l'employeur d'accorder un congé sans solde au journaliste Roger Mathieu, qui vient d'être élu président de la C.T.C.C. où il succède à Gérard Picard. Le fond du conflit, c'est la volonté des syndiqués d'obtenir de meilleures conditions d'exercice de la liberté d'information. Les grévistes défient une injonction interdisant le piquetage. Dès le deuxième jour de la grève, ils publient *La Presse Syndicale*, dont le tirage atteint 100 000 exemplaires.» Résultats: Mathieu obtient son congé et on procède à une réorganisation générale de la rédaction.[15]

Autre événement en 1958, les réalisateurs de Radio-Canada à Montréal déclenchent la grève comme point culminant d'un processus qui avait débuté en 1953 quand ils avaient demandé l'accréditation syndicale. «Les années cinquante se terminent par une grève célèbre, celle de Radio-Canada. C'est le premier débrayage depuis que la société d'État fédérale a ouvert sa station de télévision de Montréal, en 1952. C'est aussi la première grève en vue d'obtenir la reconnaissance du syndicalisme de cadres: elle est déclenchée par 75 réalisateurs francophones. Plus de 2 000 employés respectent les lignes de piquetage en guise de solidarité. Au cours d'un piquetage massif, la police arrête plusieurs manifestants dont le secrétaire

---

15. *Histoire du mouvement ouvrier au Québec: 150 ans de luttes*, coédition C.S.N. et C.E.Q., 1984, p. 196-197.

Les employés de *La Presse* débrayent en 1958 pour forcer la direction à libérer Roger Mathieu.

La CTCC s'engage aux côtés des réalisateurs lors de la grève de 1959 à Radio-Canada. Roger Mathieu participe aux événements. À sa droite, le comédien Jean Duceppe.

général de la C.T.C.C., Jean Marchand, et le journaliste René Léves-que, animateur de la populaire émission «Point de mire». Commencée le 29 décembre 1958, la grève se termine au bout de 69 jours par la re-connaissance du syndicat des réalisateurs. [16]

Trois autres conflits de l'époque sont à noter, dus aux attitudes ri-gides adoptées par les parties patronales. Quand les journalistes du *Devoir* décident en 1955, d'appuyer la grève des typographes, le rédac-teur en chef, Gérard Filion, réplique immédiatement avec un lock-out et exige des conditions rigides avant le retour au travail. En 1957, les négociations au *Nouvelliste* sont rompues par un lock-out qui casse le syndicat de ce journal aussi bien que celui de *La Tribune*, aussi en négociation à ce moment.

Au milieu des années 50, le syndicalisme a complété une implan-tation solide chez les journalistes de la presse écrite, média qui oc-cupe encore la place centrale en matière d'information. Cette implantation, il l'a réussie à l'ombre des syndicats catholiques des métiers de l'imprimerie.

---

16. Idem, p. 197.

Hors-texte 1

1955, la sale affaire du *Devoir*

Sans contrat de travail depuis le 1er janvier 1954, les typographes du *Devoir* ont entrepris diverses démarches pour arriver à la signature d'un nouveau contrat. Cherchant à obtenir la parité salariale avec les typographes de *La Presse*, l'Union typographique de Jacques-Cartier (local 145 du *Devoir*), est rapidement mise en présence d'une fin de non-recevoir de la part du directeur-gérant, monsieur Gérard Filion (plus tard président du Conseil de presse), qui refuse toute idée d'augmentation de salaire pour les typos, en invoquant la situation financière précaire du journal. De l'échec des négociations, l'on passe à la conciliation qui elle aussi aboutit à un échec. C'est l'étape de l'arbitrage.

La direction de *La Presse* et ses typos sont déjà en arbitrage pour un différend salarial. Les deux partis au *Devoir* décident d'un commun accord d'attendre la décision dans ce premier cas avant de soumettre à leur tour leur propre différend. La décision dans le cas de *La Presse* étant rendue après quelques mois, un nouveau tribunal d'arbitrage est aussitôt formé pour entendre la cause du *Devoir*. Dans ce dernier cas, le jugement arbitral est rendu le 6 avril 1955. Il proposait une augmentation de 12 $ par semaine rétroactive au 1er janvier 1954. La demande initiale des typographes du *Devoir* était une augmentation de 17 $ par semaine. Les deux parties refusent la sentence des arbitres. Alors, des négociations post-arbitrales semblent s'engager quand le président du conseil d'administration de l'Imprimerie populaire, société éditrice du *Devoir*, offre une augmentation (la première depuis la fin du contrat des typos) de 6 $ par semaine, sans rétroactivité.

Mais le directeur du journal, Gérard Filion, affirme quelques jours plus tard que le président du conseil d'administration n'est pas mandaté pour faire une telle offre salariale aux typos. En fait, le directeur du *Devoir* avait décidé, bien avant que ne soit rendue la décision arbitrale, de recruter en province de nouveaux typographes non syndiqués et de se débarrasser de l'Union typographique Jacques-Cartier. C'est donc avec une grande stupéfaction que les typos du *Devoir*, au sortir de l'assemblée syndicale qui vient de rejeter la «fausse offre» d'augmentation de 6 $, apprennent de la bouche, sinon des bras des policiers, au moment de se présenter à leur travail en fin d'après-midi, qu'ils sont congédiés. Ce lock-out par Gérard Filion et le remplacement des typos de l'Union typographique Jacques-Cartier par l'embauche de «scabs», le 20 avril 1955, marquent le déclenchement de ce qu'on appellera par la suite « l'affaire du *Devoir* ».

Dès le lendemain matin, le 21, les typographes congédiés érigent une ligne de piquetage aux portes du *Devoir*. Cette ligne de piquetage va devenir, dans les heures et les jours suivants, le point de démarcation des véritables syndicalistes.

Mot d'ordre de la C.T.C.C.

D'abord, il y a un mot d'ordre. Gérard Picard, président général de la C.T.C.C., qui a démissionné comme membre du conseil d'administration de l'Imprimerie populaire aussitôt l'annonce du lock-out, demande, dans un geste sans précédent dans les 35 ans d'existence du syndicalisme catholique, aux journalistes du *Devoir*, membres du Syndicat des journalistes de Montréal, de respecter la ligne de piquetage des typos.

En réalité, cette invitation du 21 avril fait suite à la question posée lors de l'assemblée générale régulière du S.J.M. tenue le 18 avril. En effet, le président du S.J.M., Roger Mathieu, a été pressenti par l'Union typographique pour connaître la position des journalistes advenant l'érection d'une ligne de piquetage en face de l'édifice du *Devoir*. Étant donné qu'à ce moment là, toute idée de grève de la part des typographes est purement hypothétique, l'assemblée des journalistes décide de soumettre cette question à la direction de la C.T.C.C. C'est donc en réponse à cette question, mais dans le contexte d'un lock-out et non d'une grève, que Gérard Picard adresse quelques jours plus tard le télégramme suivant à Roger Mathieu:

« Ta lettre dix-neuf avril reçue stop En qualité président général CTCC suis d'opinion que piquets de grève même par un syndicat affilié à une autre centrale syndicale libre doivent être respectés à moins de circonstances graves justifiant exception à la règle stop situation actuelle au *Devoir* ne me parait pas justifier exception à la règle stop ne puis donner un ordre mais recommande à votre syndicat et à ses membres *intéressés* de respecter piquets de grève au *Devoir* stop ai remis ma démission comme membre conseil d'administration Imprimerie polulaire société éditrice du *Devoir* vu incompatibilité fondamentale dans les circonstances entre cette charge et la fonction que j'occupe à la CTCC stop réponse plus élaborée suit par lettre. Gérard Picard président général CTCC ». [1]

Ce message est lu par Mathieu à l'assemblée syndicale des journalistes du *Devoir* dans l'après-midi du 21. De plus, Mathieu fait part aux journa-

---

1. *Le journaliste canadien-français*, vol. 1 no. 2 (mai-juin 1955), p. 6.

listes syndiqués du *Devoir* d'une lettre du président de la F.M.I.C., Georges-Aimé Gagnon, qui «contenait une défense formelle: ne pas franchir la ligne de piquetage ». [2]

Certains rentrent, d'autres pas

Mis en face de ces directives, les journalistes du *Devoir* délibèrent pendant quelques heures. À 6 heures, ils apprennent que le patron a décidé de « congédier tout journaliste qui ne retournerait pas au travail».[3] Douze jour-

---

2.   Idem.
3.   Idem.

Le Devoir, sous Gérard Filion, connaît son premier conflit majeur envenimé par la présence de briseurs de grève. Les journalistes solidaires des ouvriers de l'imprimerie paieront cher cet appui.

nalistes sur 18 retournent au travail, six refusent de franchir la ligne de piquetage. Un de ces derniers change d'idée deux jours plus tard et rentre au *Devoir*.

La publication, le 23 avril, en première page du *Devoir* d'un article de Gérard Filion intitulé: « Explications sur les événements des derniers jours au *Devoir*», suivie le 25 d'un article d'André Laurendeau, titré: « Pourquoi nous restons», contribuent à créer un faux débat sur la question de «l'allégeance au *Devoir*» versus «l'allégeance au syndicalisme».

Les deux articles sont accompagnés du même tableau révélant le salaire de chacun des typographes du *Devoir* pour l'année 1954. Par ce geste, en publiant les chiffres, le *Devoir* cherche à provoquer l'hostilité d'une certaine opinion publique contre les salaires «exagérés» des typos. D'ailleurs, la parole est jointe au geste lorsque dans un premier temps, Gérard Filion affirme: «la demande de l'Union typographique consiste en une augmentation de 17 $ par semaine. Cette augmentation, si elle était accordée, porterait leur salaire à 111 $ soit le plus élevé de tous les journaux de Montréal. Ce salaire dépasserait celui qui est payé à tous les journalistes à l'emploi du *Devoir*, y compris le rédacteur en chef M. Héroux.» [4] Et puis dans un deuxième temps, c'était André Laurendeau qui questionnait les lecteurs: «Qui prétendra sérieusement qu'un salaire de 94 $ par semaine n'est pas un salaire raisonnable? Qui affirmera qu'une moyenne qui dépasse les 5 000 $ par année se situe en dessous du minimum vital? Y a-t-il tant d'instituteurs, y a-t-il tant de professeurs d'université qui peuvent se vanter d'en gagner autant? » [5]

Après l'argumentation sur les « gros salaires » des typos, c'est l'argument: le *Devoir* est un journal en difficultés financières. D'une part, Filion argue que: «Si les demandes des typographes sont accordées et étendues aux autres hommes de métier et au personnel administratif, la charge additionnelle sera de 76 000 $ par année, ce qui porterait le déficit pour 1955 à 125 000 $.»[6] D'autre part, ces chiffres qui se voulaient éloquents étaient appuyés, dans le numéro suivant, par les propos de Laurendeau: «Parce que (Le *Devoir*) est un journal d'opinion, ce qui réduit nécessairement le nombre de ses lecteurs et par conséquent de ses annonceurs, tout lui est difficile, tout lui a toujours été difficile. Il vit depuis quarante-cinq ans contre toutes les lois économiques.» [7]

Le *Devoir* étant un journal déficitaire, ses limites financières, dit-on, s'en trouvent réduites. Alors Laurendeau parle de la nécessité pour «la di-

---

4. *Le Devoir*, 23 avril 1955, p. 1.
5. Idem.
6. Idem.
7. *Le Devoir*, 25 avril 1955, p. 1.

rection de (ne pas) distribuer à gauche et à droite des salaires plantureux ».[8] Filion va plus loin en prétendant que «les membres du Conseil d'administration en sont venus à la conclusion qu'il n'existe qu'une alternative: ou bien résister à la demande des typographes, ou bien mettre le *Devoir* en faillite ». [9]

Là est l'essentiel. Tant pour Filion que pour Laurendeau, il leur faut choisir entre les «réclamations excessives de l'Union typographique» et «l'œuvre du *Devoir*». D'un côté, l'article de Filion présente le point de vue unilatéral du patron (bon administrateur) aux prises avec un syndicat intransigeant qui vise la liquidation de l'entreprise.

Camouflant la réalité du lock-out et l'embauche de «scabs», parlant plutôt de «la grève des typographes» et du «personnel nouveau», le directeur du *Devoir* conclut son article en disant: «c'est la deuxième grève des typographes dans l'histoire du *Devoir*. Au temps de M. Bourassa, en 1921, il y eut une première, mais le *Devoir* réussit à paraître quand même. Nous espérons être capables de surmonter cette nouvelle difficulté. Depuis quarante-cinq ans qu'il existe, le *Devoir* a bénéficié d'attentions particulières de la part de la Providence. C'est ainsi qu'il a traversé presque miraculeusement des moments où les difficultés paraissaient insurmontables. Nous espérons que cette fois la Providence ne lui fera pas défaut.»[10]

Version de l'intérieur

D'un autre côté, l'article de Laurendeau veut expliquer la position des employés «restés au poste avec une admirable fidélité». Cherchant à justifier la situation des 13 journalistes qui continuent à assurer la publication quotidienne du journal, «l'éminent éditorialiste» prétexte que «la grève dont les typos menaçaient le *Devoir*» était «gravement injuste» et qu'il est donc impossible, même pour des syndiqués, de se solidariser avec une telle attitude. Comme son patron, faisant abstraction totale du contexte réel du congédiement des typos syndiqués et leur remplacement par des «scabs», lui substituant la menace de grève de l'Union typographique, Laurendeau proclame que «les employés qui travaillent (au *Devoir*) savent qu'ils travaillent pour une œuvre, et non pour le bénéfice — même légitime — du patron ou des propriétaires légaux. Cela, il nous semble, écrivait-il, devrait changer tout de suite l'atmosphère des discussions. (...) Tous les employés du *Devoir* savent que leurs services seraient mieux rétribués ailleurs: journalistes, employés de l'administration, clicheurs, pressiers, typographes, tous

8.   Idem.
9.   *Le Devoir*, 23 avril 1955, p. 1.
10.   Idem.

sauf les typos l'ont accepté. (...) Or, il se trouve que, relativement à leur travail et à leurs responsabilités, les typographes étaient déjà les employés les mieux rétribués de la maison. Ils étaient déjà des privilégiés. Avec l'augmentation réclamée, ils auraient reçu plus que M. Omer Héroux, rédacteur en chef du journal depuis quarante-cinq ans. Estimera-t-on cela raisonnable?» [11]

Version de l'extérieur

Ainsi, Filion et Laurendeau donnent leur tournure au conflit du *Devoir*. Mais cette présentation biaisée des événements ne reste pas longtemps sans réplique. Dans son deuxième numéro, presqu'entièrement consacré à «l'affaire du *Devoir*», le nouvel organe mensuel de l'U.C.J.L.F. (née le mois précédent) fournit un éclairage nouveau de la situation. En fait, *Le journaliste canadien-français*, vol. 1 no. 2, de mai-juin 1955, ouvre ses pages aux journalistes syndicalistes en général et aux cinq journalistes du *Devoir* qui se sont abstenus de franchir la ligne de piquetage des typos, en particulier, afin que «les journalistes fidèles à leurs principes syndicaux puissent expliquer au public leur attitude à l'instar des autres qui avaient tenté d'excuser la leur». [12]

Dans une déclaration conjointe, que tous les journaux ont refusé de publier, Fernand Dansereau, Françoise Côté, Gilles Duguay, Gilles Marcotte et Loris Racine, après avoir affirmé leur «entière loyauté vis-à-vis le *Devoir* et les causes qu'il soutient», expliquent les raisons de leur refus de franchir la ligne de piquetage des typographes. Témoignant de leur confiance dans la direction de leur syndicat (le S.J.M.) et de celle de la C.T.C.C., les cinq journalistes grévistes du *Devoir* soulignent l'importance du respect des directives syndicales et le besoin essentiel de respecter une ligne de piquetage. «Qu'ils soient en grève ou qu'ils soient victimes d'un lock-out, comme c'est le cas au *Devoir*, des salariés sont absolument sans défense s'ils ne peuvent obtenir le respect de leur ligne de piquetage», déclarent les «cinq».[13] Puis, ajoutent-ils, «une seule raison permettrait de ne pas la respecter: que la grève soit formellement injuste. Or, en dépit de tous nos préjugés favorables à l'égard du journal, nous n'avons pas trouvé qu'il y ait actuellement une grève injuste au *Devoir*. D'ailleurs, parce qu'il s'agit d'un lock-out, c'est-à-dire que la direction a CONGÉDIÉ les employés AVANT la fin des négociations, son geste équivaut à un congédiement pour activité syndicale.»[14]

11. *Le journaliste canadien-français*, vol 1. no. 2 (mai-juin 1955), p. 1.
12. Idem.
13. Idem.
14. Idem, p. 15.

Pour les «cinq», les journalistes n'ont pas à choisir pour ou contre «l'œuvre du *Devoir*», ils ont, en fait, à approuver ou désapprouver la présence des «scabs» et à respecter ou à ne pas respecter une ligne de piquetage érigée par des syndiqués congédiés illégalement. Pour eux, la direction du journal est elle-même l'opprobre du *Devoir*. En congédiant les typos syndiqués et en les remplaçant par des scabs, le directeur, Gérard Filion, a bafoué lui-même «l'œuvre du *Devoir*». Ce journal, qui se veut la «conscience du Canada-français», utilise les mesures les plus antisociales et les plus injustes pour se débarrasser d'un syndicat. Comme le déclare Fernand Dansereau: «c'est une chose qu'on pardonnerait difficilement à n'importe quel employeur, mais qui est absolument inadmissible dans une œuvre comme le *Devoir*. L'Apôtre doit d'abord faire la paix avec ses disciples avant d'aller convertir l'univers.» [15] Dans le même sens, Françoise Côté écrit: «Les journalistes, qui n'ont pas rédigé une seule ligne de copie pour les briseurs de grève installés dans l'atelier de composition par l'administration, n'ont probablement jamais compris avec autant de force leur attachement au *Devoir*, que chacun d'eux aimait pour des raisons différentes, il va de soi, mais pour des raisons très réelles et profondes. Aussi, est-ce en cherchant à mieux définir les raisons de leur geste que s'est révélée à eux avec plus de clarté et de signification, cette question de l'intégrité professionnelle. Il ne s'agissait pas seulement de se conformer à un principe de solidarité syndicale, mais bien de ne pas faillir à cette responsabilité sociale contractée envers les lecteurs, qui devenaient justifiés d'exiger qu'on respecte la doctrine prêchée.» [16]

Ainsi en décidant de ne pas traverser la ligne de piquetage des typos, les «cinq» respectent le principe vital de la solidarité ouvrière et refusent du même coup de se faire les complices d'une odieuse manœuvre patronale pour «jeter l'Internationale dehors». Déclinant toute participation à une entreprise qui embauche des «scabs», les Dansereau, Côté, Duguay, Marcotte et Racine choisissent de sauver «l'honneur de la profession».

Appui et sanctions

Pour appuyer le geste posé par les cinq journalistes du *Devoir*, le conseil syndical du S.J.M. décide de leur payer leur plein salaire. De plus, ce même conseil syndical prend des sanctions contre les journalistes syndiqués qui n'ont pas respecté les directives syndicales et ont franchi la ligne de piquetage des typos. Après avoir entendu ceux qui parmi ces «briseurs de grève» veulent bien présenter une défense devant le conseil syndical, cet organisme

---

15. Idem, p. 5.
16. Idem, p. 7.

impose lors d'une réunion spéciale tenue le 1er juin 1955, les sanctions suivantes:

Marcel Thivierge, exclu à vie. Pierre Vigeant, Paul Sauriol et André Laurendeau, exclus pour cinq ans et amende de 500 $ pour chacun. Jean-Marc Laliberté, exclu pour deux ans et amende de 200 $. Gérard Gosselin, exclu pour un an et amende de 200 $. Xiste Narbonne, Marcel Clément, Louis Dubois, Roland Filion, Bert Soulière, Mlle Germaine Bernier, Maurice Crête, Jean Benoît et Jean-Paul Boisvert, exclus pour trois mois et amende de 50 $.

Dans le cas des membres exclus pour un temps limité, le conseil syndical du S.J.M. a fait connaître à chacun sa décision dans une lettre où on relève le paragraphe suivant:

«Nous espérons que vous accepterez votre peine avec bon esprit et reconnaitrez que vous avez pleinement mérité cette sanction. Souvenez-vous de tout ce que le syndicat des journalistes de Montréal a fait pour ses membres, pour vous en particulier et pour toute la profession en général. Nous osons croire qu'une fois le délai expiré, vous reviendrez dans les cadres du syndicat, pour y jouer le rôle d'un vrai syndiqué.»[17]

L'exclusion à vie de Marcel Thivierge est due à son grand «dévouement» sinon son «zèle intempestif» pour le patron du *Devoir*, Gérard Filion. En fait, à plusieurs reprises, Thivierge a tenté par des «démarches déloyales» pour forcer les cinq journalistes grévistes à retourner au travail. Ce comportement tout à fait inacceptable de la part d'un journaliste syndiqué, le rendait indigne d'être membre du S.J.M.

Enfin, il reste à souligner le cas de Pierre Laporte. Ce dernier se trouve en Europe au moment où le S.J.M. prend des sanctions contre ses membres qui ont continué de travailler au *Devoir* en franchissant la ligne de piquetage des typos. Le conseil syndical du S.J.M. attend le retour de M. Laporte, «afin de lui permettre de faire les représentations qu'il jugerait opportunes avant d'être jugé». M. Laporte refuse, à son retour, l'opportunité qui lui est offerte, «sans doute parce qu'il considérait son cas indéfendable» et est donc jugé sans avoir été entendu. Pierre Laporte est exclu des rangs du S.J.M. pour une période de cinq ans et écope d'une amende de 500 $. À propos de ce verdict, Roger Mathieu, président du S.J.M. écrit: «Il est à noter que M. Laporte avait bénéficié de la protection du Syndicat des journalistes de Montréal dont il était membre, lorsque le premier ministre de la province de Québec l'avait publiquement abreuvé d'injures, il y a environ deux ans, et avait mis son intégrité professionnelle en doute. Cette protection, le syndicat la devait à M. Laporte qui était l'un de ses membres et il la lui avait accordée spon-

---

17. *L'Imprimeur*, juin 1955, p. 3.

tanément en dépit de la rançon qu'il était alors certain de payer et qu'il a effectivement payée peu après.»[18]

Pas de retour possible

Finalement, au mois de juillet 1955, après que l'Union typographique eut signalé au S.J.M. que la poursuite de la grève par les cinq journalistes du journal «ne constituait plus pour eux une aide efficace», le président du S.J.M. tente de négocier avec le directeur Filion le retour au travail des cinq journalistes. Filion exige alors que le S.J.M. annule toutes les sanctions imposées aux journalistes qui ont franchi la ligne de piquetage. Pour Mathieu, «il ne pouvait être question de se rendre à une condition pareille. Les cinq journalistes en cause se sont donc cherché du travail ailleurs.»[19]

Les typographes s'embarquent eux, dans une bataille juridique contre le *Devoir*. L'épilogue de cette lutte survient en décembre 1955, lorsque le juge Maréchal Nantel reconnait l'Imprimerie populaire limitée coupable du congédiement illégal de l'un de ses typographes pour activité syndicale. Cette cause type va devenir la base d'un règlement entre l'Union typographique et la direction du *Devoir*.

18. *Le journaliste canadien-français*, vol. 1. no. 3 (juillet 1955), p. 3.
19. Idem.

Chapitre III

1960-1972: une agitation féconde

Le 28 mai 1960, lors de son 36ᵉ congrès, la Fédération des métiers de l'imprimerie du Canada (F.M.I.C.) change son nom et devient la Fédération canadienne de l'imprimerie et de l'information (F.C.I.I.). À ce moment-là, le membership de la Fédération se situe autour de 3 000 membres actifs et en règle répartis entre 25 syndicats à travers la province. La F.M.I.C. compte sur ce nombre environ 350 journalistes.[1]

Les deux principales catégories de syndiqués sont les imprimeurs et les travailleurs du carton et du papier. Ces derniers sont entrés dans la F.M.I.C. en 1954, lors du 30ᵉ congrès de l'organisme. À ce moment-là, ils étaient environ 675 au sein de l'Union des travailleurs du carton et papier façonnés.

Le changement de nom de la Fédération s'inscrit dans un processus plus global de révision des structures et de la constitution de la centrale elle-même. Ainsi, quelques mois après la naissance de la F.C.I.I., le 29 septembre 1960 plus précisément, la Confédération des travailleurs catholiques du Canada (C.T.C.C.) devient la Confédération des syndicats nationaux (C.S.N.). Au congrès confédéral de 1961, la direction de la centrale presse par ailleurs ses 13 fédérations à se fusionner entre elles pour n'en former que six. Les débats à ce sujet se prolongent au moins jusque dans la deuxième moitié des années soixante.

Le changement de nom de la F.M.I.C. résulte aussi de la pression interne du groupe des journalistes, une minorité fort active qui fait re-

---

1. Procès-verbal, 36ᵉ congrès, F.M.I.C., 1960, feuilleton des résolutions, p. 1.

connaître son poids croissant, même si le congrès de 1960 se veut celui de l'unité. Dans son discours d'ouverture, le président sortant, Roland Thibodeau doit d'ailleurs reconnaître le malaise lié à la place des journalistes au sein de la Fédération:

«Au cours des années, dit-il, l'uniformité de pensée et surtout l'uniformité d'action n'a pas toujours tenu compte de (l'activité des journalistes)... Je crois (...) que la Fédération des métiers de l'imprimerie était et est bien à eux tout autant qu'à nous.»[2] Par ces propos, il espère lier l'action des journalistes à celle des imprimeurs alors majoritaires au sein de la Fédération.

L'insatisfaction des journalistes

Depuis 1951, les journalistes manifestent leur insatisfaction face à leur encadrement dans une fédération d'imprimeurs. Ainsi, le délégué Pierre de Bellefeuille du Syndicat des journalistes d'Ottawa (qui sera plus tard député du Parti Québécois), déclarait, lors de la troisième séance du 27e congrès: «Les journalistes cherchent un moyen de défendre leurs intérêts professionnels et la F.M.I.C. ne constitue peut-être pas un excellent moyen à cet effet.»[3] De son côté, le délégué Gérard Pelletier, qui participe au même congrès, souligne «les disparités entre les journalistes et les syndicats de métiers: les journalistes ont des syndicats jeunes et leurs conditions de travail ne sont pas les mêmes. Il serait bon qu'ils puissent se rencontrer pour étudier leurs problèmes communs.»[4] Ces interventions aboutissent à la création d'un comité spécial pour les journalistes. Comme un participant le souligne lors du congrès de 1951: «Par ce geste, la fédération va financer les débuts d'une fédération de journalistes.»[5]

Au congrès de 1960, donc près de 10 ans plus tard, on n'en est pas encore là, mais les journalistes affirment d'une façon toute particulière leur présence. Le Syndicat des journalistes de Montréal adopte à l'unanimité la résolution suivante: «Que (le S.J.M.) demande à la

2. Procès-verbal du 36e congrès de la F.M.I.C., 1960, Rapport du président, p. 3.
3. Procès-verbal du 27e congrès de la F.M.I.C., 1951, p. 41.
4. Idem, p. 42.
5. Idem.

(F.M.I.C.) à l'occasion de son congrès annuel qui aura lieu à St - Jean, de changer son nom en celui de la Fédération de l'imprimerie et de l'information du Canada.» [6]

Cette décision des journalistes fut d'abord, comme l'exigeaient les réglements de la F.M.I.C., endossée par le comité des résolutions qui la recommanda aux congressistes pour adoption. L'exécutif de la Fédération décida, de son côté, de soumettre à la suite du texte de la résolution du S.J.M. sa propre résolution sur le changement de nom et d'ajouter le mot «canadienne» dans le nom proposé.

«Les années soixante sont une période d'expansion spectaculaire pour la Confédération des Syndicats Nationaux qui double le nombre de ses membres en dix ans, soit de 95 000 à 205 000.

C'est en 1960 que le Confédération des travailleurs catholiques du Canada change son nom en celui de la C.S.N. Elle met ainsi fin à une longue démarche de déconfessionnalisation. Dans sa déclaration de principes, la phrase où elle disait «s'inspirer de la doctrine sociale de l'Église» est remplacée par une autre où elle reconnaît adhérer à des «principes chrétiens», et ce jusqu'en 1970.

La C.S.N. réalise une grande percée dans les services, et surtout les services publics, où elle compte la moitié de ses membres en 1970. Le nombre des syndiqués des hôpitaux et des services sociaux augmente de 10 000 à 30 000 de 1960 à 1965, puis de 50 000 en 1970, soit le quart des cotisants. La centrale recueille également l'adhésion des quelque 25 000 fonctionnaires provinciaux (cols blancs et cols bleus), d'employés des commissions scolaires et des municipalités, des services de transports publics et aussi de quelques milliers d'enseignantes et enseignants des cegeps.

La C.S.N. fait également des gains dans le secteur privé en recrutant notamment des membres affiliés à la F.T.Q. (C.T.C.), près de 10 000 dans les seules années 1964-67. La Fédération de la métallurgie, des mines et de la chimie double ses effectifs, qui passent à 30 000 membres.

(...) En 1961, Jean Marchand est élu à la présidence où il succède à Roger Mathieu, nommé à la Commission des accidents du travail. Marcel Pepin, permanent à la Fédération de la métallurgie, accède au

---

6. Procès-verbal du 36e congrès, 1960, feuilleton des résolutions, p. 1.

poste de secrétaire général. Il devient président en 1965 après le départ de Marchand pour le Parti libéral fédéral.»[7]

L'arrivée de Gérard Picard

Outre le changement de nom de la Fédération de l'imprimerie, l'importance des journalistes est encore soulignée par la nomination de Gérard Picard à la présidence de la F.M.I.C. M. Picard reprend, au sein de la F.C.I.I., le travail de renouveau accompli à la direction de la C.T.C.C. d'après-guerre, dont il a été président de 1946 à 1958. [8]

Ancien journaliste à *L'Événement* et à *L'Action catholique*, M. Picard va symboliser la volonté d'unifier l'action des trois principaux groupes de travailleurs qui composent la fédération. Poursuivant l'objectif de l'unité la plus large possible, il devra réaliser le vœu du 36e congrès qui a souhaité que des pourparlers s'engagent entre la nouvelle F.C.I.I. et la Fédération canadienne nationale de la pulpe et du papier (F.C.N.P.P.), en vue d'examiner la possibilité de former une seule grande fédération syndicale regroupant tous les travailleurs exerçant leur activité dans le même secteur économique, de la matière première au produit fini et livré au consommateur. Cependant, dans l'immédiat, la nouvelle direction de la F.C.I.I. doit trouver les moyens de faire encore plus de place à la minorité agitée et bruyante des journalistes. En particulier, elle fait face aux pressions pour la mise sur pied d'une sous-structure regroupant uniquement les journalistes au sein de la fédération.

Le procès-verbal de la première réunion du comité exécutif de la F.C.I.I., à la suite de son congrès de 1962, y fait ouvertement référence. La Fédération, y lit-on, «est mise au courant que les journalistes continuent d'étudier la possibilité de formation d'un conseil syndical des journalistes, qui grouperait les divers syndicats de journalistes, et qui serait affilié à la F.C.I.I.» [9]

---

7. *Histoire du mouvement ouvrier au Québec: 150 ans de luttes,* Coédition C.S.N. et C.E.Q., 1984, p. 219.
8. ROUILLARD, Jacques, *Histoire de la C.S.N.,* C.S.N.-Boréal Express, p. 168.
9. Procès-verbal, comité exécutif F.C.I.I., 27 octobre 1962, p. 2.

En grande partie, cette initiative répond à la réorientation de l'Union canadienne des journalistes de langue française qui a décidé en 1961 de rompre en pratique les liens avec les syndicats de journalistes (voir chapitre IV), en ne retenant que des adhésions sur une base individuelle. En réaction, les militants syndicalistes se sont repliés sur la F.C.I.I. C'est ainsi que les 26 et 27 octobre 1963, le comité d'éducation du Syndicat des journalistes de Montréal tient à Sainte-Marguerite un colloque pour les journalistes syndiqués. Cette rencontre aboutit à la fondation de l'Alliance canadienne des syndicats de journalistes (A.C.S.J.). Conrad Langlois, délégué du S.J.M. au bureau fédéral de la F.C.I.I. du 21 décembre 1963, annonce aux membres du bureau que l'A.C.S.J. «groupera désormais tous les syndicats de journalistes pour assurer la liaison et l'entraide entre eux. Les pouvoirs du nouvel organisme seront consultatifs. Les syndicats de journalistes continueront de faire partie de la fédération.» [10]

À ce même bureau fédéral, le président de la F.C.I.I., Gérard Picard, déclare: «La constitution de la Fédération devra être amendée au prochain congrès pour reconnaître officiellement l'Alliance et lui accorder le statut réclamé.»[11] Cet amendement constitutionnel sera éventuellement approuvé et les membres de l'Alliance adopteront à l'unanimité, le 16 mai 1964, la constitution de l'A.C.S.J.

Le Trente

Son président est Manuel Maître, journaliste à *La Patrie* et président du Syndicat des journalistes de Montréal. Le colloque de Sainte-Marguerite et le congrès de Sherbrooke vont être l'occasion pour l'Alliance de publier, en collaboration, la première série du *Trente*, journal officiel du S.J.M. et en quelque sorte «l'ancêtre du 30», l'organe semi-officiel de la F.P.J.Q. apparu en 1976.[12] Quatre numéros paraissent en 1964, une deuxième série de cinq numéros paraîtra en 1966. Dans le premier numéro de ce journal, Manuel Maître expose les objectifs poursuivis par l'A.C.S.J.: la syndicalisation, le contrat

10. Procès-verbal, Bureau fédéral de la F.C.I.I., p. 11.
11. Idem, p. 3.
12. LAFRENIÈRE, Jacques, «Le Trente, l'ancêtre du 30», in *Le 30*, vol. 10, nos. 9-10, novembre-décembre 1986, p. 53.

type, le code d'éthique, la formation professionnelle qui sont tous des problèmes que l'Alliance compte bien étudier en profondeur pour leur apporter des solutions syndicales.

Mais la «concession» que représente l'A.C.S.J. n'étanchera qu'un temps la soif d'affirmation des journalistes. Trois ans après le colloque de 1963, les journalistes syndiqués de l'Alliance, de nouveau réunis à Sainte-Marguerite, les 14 et 15 mai 1966, constatent qu'ils sont loin d'avoir fait tout ce qu'ils s'étaient proposés de faire. Un document du colloque, signé par Luc Beauregard et Pierre Vennat, invite les journalistes syndiqués à s'interroger sur l'utilité d'une fédération syndicale telle que la F.C.I.I., dont le «critère (imprimerie) pour ne pas dire le critère (papier), est loin de rejoindre les préoccupations des gens exerçant le même métier, à savoir celui de l'information, que ce soit au sein de la radio, de la télévision, ou de la presse proprement dite». [13]

Une liste de vœux est formulée, à l'intention de la commission plénière sur les structures, qui devra ensuite la soumettre à l'assemblée du colloque. Ces vœux visent essentiellement la constitution d'un nouvel organisme, voire une fédération, groupant les journalistes. L'organisme à créer devra statuer sur le type de liens à entretenir avec les métiers de l'imprimerie.

Mécontentement des imprimeurs

En parallèle, lors du 39e congrès, tenu à Pointe-au-Pic les 26 et 27 juin 1964, le Syndicat national de l'industrie de l'imprimerie de Montréal a soumis un mémoire dénonçant âprement les politiques de la F.C.I.I. à l'égard des imprimeurs de Montréal, qui attendent depuis 1961 le renouvellement du décret qui fixe les conditions de travail dans l'imprimerie commerciale et les hebdomadaires. «L'état de stagnation générale» qui règne dans l'imprimerie et «le manque réel d'efficacité» de la F.C.I.I. les conduisent à recommander «une réforme totale de la fédération» et surtout «une étude du problème des per capita», car pour eux il est impossible de «concevoir qu'une

---

13. Colloque A.C.S.J., 14 et 15 mai 1966, doc. Beauregard et Vennat p. 1.

fédération dont les pouvoirs sont tellement réduits puisse avoir des dépenses aussi élevées».[14]

Cette agitation des membres, tant chez les imprimeurs que chez les journalistes, renvoie à la même question: le projet de fusion avec la F.C.N.P.P. s'insère dans une démarche plus globale de la C.S.N. tout entière.

Celle-ci décide, au moment où les pourparlers s'engagent entre la F.C.I.I. et la F.C.N.P.P., de réformer ses propres structures et d'entreprendre des transformations au niveau des fédérations. Au congrès confédéral d'octobre 1962, la centrale opte pour des structures «en vertu desquelles l'organisation et l'éducation relèvent de la C.S.N., alors que les négociations et l'application des conventions collectives relèvent des fédérations».[15] Ces réformes, jointes à une «augmentation de la taxe per capita de 0.10$ par membre pour tous les syndicats», ont d'énormes implications sur le projet de fusion F.C.I.I.-F.C.N.P.P.

Bien que certains procès-verbaux du comité exécutif mentionnent à quelques reprises l'existence de rencontres entre la F.C.I.I. et la F.C.N.P.P., le projet de fusion apparaîtra «bloqué» entre le 37e congrès de 1961 et le 39e congrès de 1964. Plusieurs facteurs ont contribué à ce retard. L'année 1964 est marquée d'importantes grèves: *La Presse*,[16] Standard Paper Box, *La Voix de l'Est*, qui drainent les énergies des responsables de la fédération. Les questions du décret de l'imprimerie commerciale et du regroupement des journalistes occupent des places prépondérantes. Durant les premiers mois de 1965, un

14. Procès-verbal, 39e congrès F.C.I.I., 1964, p. 37.
15. Procès-verbal du Bureau fédéral de la F.C.I.I., 9 février 1963, p. 2.
16. «Parmi les autres luttes d'importance dans les années soixante, il y a le conflit qui interrompt la publication du quotidien *La Presse* pendant sept mois en 1964, et qui constitue un événement important pour la société québécoise. La grève est déclarée le 3 juin par les membres du Syndicat international des typographes (F.T.Q.), l'un des plus anciens du mouvement ouvrier, qui veut se protéger contre les effets des changements technologiques. Elle est aussitôt suivie d'un lock-out contre les 900 autres employés du journal, membres du syndicats affiliés à la C.S.N. et à la F.T.Q. Les syndiqués publient un quotidien, *La Presse libre*, et recueillent beaucoup d'appuis dans l'opinion publique. Un compromis met fin au conflit. Voir *Histoire du mouvement ouvrier au Québec: 150 ans de luttes*, coédition C.S.N. et C.E.Q., 1984, p. 232.
Pour sa part, Laval Le Borgne qualifie ce conflit de «désastre». Il affirme que «ce fut une défaite monumentale sur tous les plans, que chacun des syndicats est entré sur les genoux et que ça a pris 7 ans (jusqu'en 1971) pour remonter la pente». (Entrevue avec François Demers, le 23 avril 1987).

accord de principe pour former une seule fédération semble se concrétiser mais, comme le déclare Gérard Picard, «les circonstances (n'ont) pas permis de progresser dans cette voie».[17] Alors, «la fédération se doit d'en avoir le cœur net sur cette question et (il) suggère que les démarches soient faites auprès de la C.S.N. en vue de provoquer une rencontre des exécutifs des deux fédérations et d'examiner les avantages et inconvénients qui pourraient résulter de la fusion.»[18]

Maintien de la F.C.I.I.

Allant encore plus loin dans ses suggestions, Picard affirme que si le projet de fusion «ne paraissait pas réalisable»[19], la dissolution éventuelle de la F.C.I.I. devrait quand même être envisagée. L'exécutif finit par décider de consulter les syndicats membres relativement à l'avenir de la fédération. Un questionnaire est expédié le 5 décembre 1965. Lors du bureau fédéral du 12 mars 1966, un comité est formé pour étudier les réponses aux questionnaires et préparer un rapport pour le prochain congrès.

La lecture de ce rapport révèle que 14 syndicats sur un total de 28 ont répondu au questionnaire. Pour mieux classifier les réponses à chacune des 10 questions, le comité décide de regrouper les réponses en trois grandes catégories: les réponses favorables au maintien de la Fédération; les réponses défavorables au maintien de la Fédération; les réponses favorables au maintien de la Fédération mais avec améliorations. Selon cette classification, le comité a recensé 69 réponses pour la première catégorie, 32 pour la seconde et 32 pour la troisième. Additionnant les résultats de la première et de la troisième catégorie, le comité affirme qu'il y a 101 réponses favorables au maintien de la Fédération et 32 défavorables. «Le comité en déduit que les syndicats sont en majorité en faveur de la fédération mais avec des améliorations.»[20]

17. Procès-verbal, Bureau fédéral F.C.I.I., 19 juin 1965, p. 3.
18. Idem, p. 3.
19. Procès-verbal, Bureau fédéral F.C.I.I., 19 juin 1965, p. 3.
20. Procès-verbal, 40e congrès F.C.I.I., mai 1966, p. 31.

Ces observations sont présentées aux délégués du 40e congrès alors que ceux-ci sont appelés à se prononcer sur la dissolution ou le maintien de la F.C.I.I. Le rapport du comité du questionnaire est donc un argument de poids pour le maintien de la fédération et les congressistes retiennent cette option.

Ce choix demeure quand même assez étonnant en regard de certains événements ayant précédé le congrès. En effet, lors du 2e colloque des journalistes, quelques jours avant le 40e congrès de la F.C.I.I., les syndiqués de l'information réclament la fondation d'une véritable fédération où le critère «imprimerie» serait remplacé pour le critère «information». Pour les journalistes de l'A.C.S.J., deux importants efforts de syndicalisation dans le secteur de la radio et de la télévision ont miné leur solidarité avec «des gens exerçant des métiers aussi divers que fabricants de boîtes de carton». [21] Ce sont la formation d'un syndicat de journalistes à Radio-Canada affilié à la C.S.N. et le passage des travailleurs de CKVL de NABET à la C.S.N. Ces nouveaux syndiqués ne sont pas regroupés au sein de la F.C.I.I. bien que, déclarent les journalistes, «nous avons plus de points communs avec eux qu'avec les ouvriers de la boîte de carton». [22]

Des services publics

Dans ces deux cas, le nouveau syndicat a été affilié à la Fédération des services publics (F.S.P.) plutôt qu'à la F.C.I.I. En ce qui concerne Radio-Canada, cette décision découle de la nature du syndicat lors de sa création en 1964 alors qu'il s'agissait de syndiquer l'ensemble des employés de la production de l'industrie cinématographique (d'où son nom de Syndicat général du cinéma et de la télévision, S.G.C.T.), à commencer par ceux de l'Office national du film (O.N.F.). D'autre part, cette décision semble logique à une centrale qui considère le cinéma et les médias électroniques comme des services publics. Enfin, au moment où le S.G.C.T. décroche en 1968 l'accréditation pour représenter les salles de nouvelles de Radio-Canada à Montréal et à Québec, la C.S.N. est toujours à la recherche

---

21. Doc. Beauregard-Vennat, colloque A.C.S.J., p. 1.
22. Idem.

d'une formule miracle pour ramener le nombre de ses fédérations de 13 à 6 et préfère ne pas créer de précédent. De leur côté, les membres de l'Alliance cherchent une formule de remplacement à la F.C.I.I. et cela en s'appuyant sur la démarche des représentants de la fédération, Gérard Picard en tête. Ce dernier, mandaté par le comité exécutif en avril 1966 pour préparer une nouvelle constitution «s'étendant au domaine de l'imprimerie commerciale», rédige un document stipulant que «le nom, les statuts et les règlements de la F.C.I.I. sont amendés comme suit: Statuts et règlements de la Fédération canadienne de l'imprimerie (C.S.N.)»,[23] donnant ainsi tous les arguments nécessaires aux journalistes pour quitter la F.C.I.I.

Ainsi, le «scénario» est prêt: d'une part, les journalistes revendiquent une fédération autonome au sein de la C.S.N.; d'autre part, on planifie les structures d'une fédération regroupant essentiellement les imprimeurs. Alors comment se fait-il que le 40e congrès de la F.C.I.I. opte pour le maintien de la Fédération? Les réponses à cette question se trouvent dans le texte du nouveau secrétaire de la F.C.I.I., Louis Cliche, intitulé: «Où va-t-on se nicher?» et qui est publié quelques mois après le 40e congrès dans le journal *Le Trente*. Selon Cliche, les journalistes avaient été désignés «comme fossoyeurs de (la F.C.I.I.) cet organisme moribond». Lors de leur colloque à Sainte-Marguerite, «on leur faisait sentir qu'il serait peut-être mieux pour eux d'abandonner la vénérable fédération qui devait par ailleurs se faire hara-kiri prochainement tellement elle était rachitique». Mais, dit encore Cliche, «ce plan ingénieux n'a pas été suivi». Les journalistes ont été accueillis durement au congrès. Les vieux militants du mouvement leur rappellent «que si le syndicalisme a pu s'implanter dans le journalisme... c'est grâce aux confrères des métiers de l'imprimerie». De plus, de nombreux militants soulignent que les journalistes ont été, au cours des dernières années, «les enfants choyés» de la F.C.I.I. qui leur a versé plus, en proportion, qu'aux autres syndiqués. Face à ces arguments, les journalistes reconnaissent «que le colloque de l'A.C.S.J. s'était prononcé à partir de prémices dont on commençait aujourd'hui à sentir l'inexactitude».[24] Tous finissent par se rallier au vague espoir qu'en prolongeant l'existence de la F.C.I.I., des remèdes concrets pourraient être apportés afin de donner aux syndicats affiliés les services auxquels ils ont droit.

23. Procès-verbal, 40e congrès F.C.I.I., mai 1966, p. 2.
24. *Le Trente*, juillet-août 1966, p. 31-32.

Une faiblesse numérique

La disparité des groupements qui composent la F.C.I.I. reste donc au centre des nombreux problèmes que connaît la fédération. Les journalistes sont minoritaires et la faiblesse de leurs effectifs les a empêchés de poursuivre leur projet de créer une éventuelle fédération des journalistes syndiqués. Les trois syndicats de journalistes, Montréal (350), Québec (105) et Ottawa (31) ne regroupent même pas 500 membres. De leur côté, les travailleurs du carton et ceux de l'imprimerie, bien que plus nombreux, ne représentent pas, isolés les uns des autres, des effectifs capables de s'offrir des services techniques adéquats. De plus, un nombre considérable de petits syndicats se trouvent dans une situation d'isolement régional.

En somme, le 40e congrès de mai 1966 renvoie l'étude des problèmes syndicaux des journalistes et des imprimeurs à plus tard. Ainsi, au-delà de l'élection d'un nouvel exécutif, sous la présidence de Charles Henri, un imprimeur de Joliette, et le vote de nombreuses résolutions de principe, la question reste entière: comment la Fédération peut-elle survivre et prospérer? C'est le prochain congrès spécial, prévu pour septembre 1966, qui devra apporter les réponses.

Une relance avortée

Les nouveaux élus ont aussi été mandatés pour entreprendre le plus tôt possible des pourparlers avec les représentants de la C.S.N. relativement à l'organisation et aux services. Les rencontres F.C.I.I.-C.S.N. devaient déboucher sur des solutions à court terme et être présentées lors du congrès prévu quelques mois plus tard. Toutefois, l'échéancier ne peut être respecté et au bureau fédéral du 27 août 1966, les représentants de la F.C.I.I. décident «à l'unanimité (de) reporter à juin 1967 le congrès spécial qui devait avoir lieu avant celui de la C.S.N. (octobre 1966)».[25] Entre-temps, les événements autour du «bill de La Presse» vont déclencher des débats orageux entre les représentants de la F.C.I.I. et ceux de la C.S.N. La vente du quotidien

25. *Le Trente*, septembre-octobre 1966, p. 5.

La Presse, en juillet 1967, à la Corporation des valeurs Trans-Canada amène la publication du projet de loi 282. Cette transaction, impliquant le groupe Desmarais-Francœur, entraîne la réaction de l'A.C.S.J. et celle de l'U.C.J.L.F. qui proposent la tenue «d'une enquête qui examinerait les questions relatives à la propriété, au contrôle des organes d'information et au droit du public à une information libre et complète».[26] Cette suggestion est immédiatement endossée par la C.S.N., dont le président général Marcel Pepin «appuie l'idée d'une enquête sur les moyens d'information et lance l'hypothèse de la création d'une presse vraiment (populaire)». [27]

Dans ce dossier, les responsables de la F.C.I.I. se plaignent du manque de consultation à l'intérieur de la centrale, prétextant qu'ils ont été mis au courant de la demande d'enquête par les journaux. La direction de la C.S.N. accepte mal les critiques des représentants de la F.C.I.I. car le projet d'enquête sur l'information émane en partie de l'A.C.S.J., un «corps intermédiaire» affilié à la Fédération.

Mais le «bill de LA PRESSE» ne sera qu'un des incidents révélant les problèmes internes de la Fédération. Finalement, le programme de relance fixé par le 40e congrès ne sera pas respecté. Lors du 41e congrès, les 31 mai et 1er juin 1968, les responsables de la F.C.I.I. sont forcés de reconnaître que les grands projets en vue de transformer les structures, d'engager des permanents, de fournir des services... n'ont pas été réalisés.

Une première fois, le congrès spécial qui doit relancer la fédération a été reporté de septembre 1966 à juin 1967. Comme le souligne le rapport du secrétaire du congrès de 1968, «la réunion qui devait fixer l'agenda de ce congrès (1967) n'a pu avoir lieu, faute de quorum».[28] Le rapport du secrétaire atteste que le problème du quorum a empêché la tenue de «plusieurs réunions du Bureau Fédéral». Le président, Charles Henri, confesse l'échec des grandes réalisations, quand il déclare aux délégués du 41e congrès: «notre travail s'est limité à l'organisation du bureau et des filières (classeurs) de la Fédération.»[29]

---

26. *Le Devoir*, 17 juillet 1967, p. 3.
27. *Le Devoir*, 19 juillet 1967, p. 7.
28. Procès-verbal, 41e congrès F.C.I.I., 1968, p. 15.
29. Idem.

Formation de secteur

Finalement, l'année suivante, au congrès dit «de Joliette», on parvint pourtant à poser quelques gestes positifs, dont la création officielle de trois secteurs: l'imprimerie, le carton et l'information. Laval Le Borgne, alors secrétaire du Syndicat des journalistes de *La Presse* (S.G.C.) est élu vice-président représentant le secteur de l'information. L'autre décision importante est l'attribution d'un budget équivalant au salaire de deux permanents pour fournir des services à ce secteur. C'est Laval Le Borgne lui-même et un journaliste du *Montréal-Matin*, Jean-Pierre Paré (qui deviendra plus tard permanent à la F.N.C.) qui se chargent de cette tâche.

La question des services offerts par la fédération est au cœur du malaise. Dans une entrevue, Laval Le Borgne l'explique de la façon suivante: «Dans le secteur de l'imprimerie, on n'avait pas vraiment besoin de services. Les officiers étaient les gestionnaires de décrets. Chaque syndicat ne pouvait négocier que des petites variantes par rapport à la convention-décret provinciale. Nous, à l'époque, nous pensions qu'ils étaient des incompétents. Mais c'était notre erreur de jugement. Par contre, chaque syndicat de l'information devait négocier sa propre convention comme s'il partait de zéro. De son côté, le carton s'était donné un permanent depuis plusieurs années et procédait à ce moment-là, à l'entraînement d'un jeune pour la relève, un nommé Guy Marsolais qui deviendra permanent de la F.N.C. en 1972.» [30]

Une mentalité de club social

L'augmentation des services va mettre un peu de baume sur les plaies. Mais le ver est dans la pomme. Laval Le Borgne l'appelle «différence de mentalités» ou parle de «*leur* mentalité de club social». Par exemple, raconte-t-il: «Le secteur de l'imprimerie avait *son* journaliste, un nommé Georges Lemoyne, président du syndicat industriel des employés de *La Tribune* de Sherbrooke. C'était quelqu'un qui avait une vraie mentalité de typographe. Il était aussi président du

30. Laval Le Borgne, entrevue avec François Demers, le 23 avril 1987.

conseil central de Sherbrooke. Au moment de la formation de la Centrale des syndicats démocratiques, il se prenait pour le bras droit de Dalpé. Il est parti avec la C.S.D. mais ses membres ne l'ont pas suivi». [31]

Marcel Pepin présidait la CSN au moment de la formation de la F.N.C.

En fait, cette différence de mentalité atteint son point de non-retour l'année suivante quand le «gang» Le Borgne publie à 4 000 exemplaires un «dossier noir» dénonçant deux pratiques pour le moins douteuses des officiers de la F.C.I.I.: l'habitude de se faire payer les mêmes comptes de dépenses par deux ou trois instances syndicales différentes (le syndicat local, le conseil central, la fédération, ...); l'habitude déclarer officiellement à la fédération un nombre de membres

31. Idem. (La C.S.D. est née de la scission d'éléments conservateurs au sein de la C.S.N. qui soutenaient qu'il n'était pas du ressort d'une centrale de se préoccuper de questions d'ordres politique et social).

du syndicat local inférieur à la réalité, de façon à payer une plus faible cotisation.

Cette initiative donne lieu à un incident rocambolesque, rappelle Laval Le Borgne: «*Ils* avaient appris que nous allions rendre publiques leurs affaires croches. Alors, pendant la fin de semaine, ils ont volé les 4 000 copies qui étaient entreposées dans nos bureaux. J'en ai parlé au président de la centrale, Marcel Pepin, qui leur téléphona... pour les menacer d'une accusation publique de vol. Les copies revinrent à mon bureau mais un certain Bernard Landry, avocat à Joliette (et futur ministre péquiste), me téléphona en leur nom pour me menacer de poursuites judiciaires si le document sortait. C'est la seule fois où j'entendis parler de lui dans cette affaire. Et le dossier noir devint public.» [32]

Par la suite, les choses vont de mal en pis, marquées par les hésitations, tractations et tergiversations des parties impliquées, notamment celles de l'exécutif de la C.S.N. qui commande deux enquêtes sur le fonctionnement et l'avenir de la F.C.I.I., la première par son vice-président général Paul-Émile Dalpé, en 1970, la seconde, quelques mois plus tard par Jean Thibault, assistant du directeur général des services de la centrale. Celui-ci arrive à la conclusion suivante: «Même si certains syndicats prétendent que la F.C.I.I. commence à peine à fonctionner et qu'il faudrait lui donner une chance, je suis convaincu... que la F.C.I.I. est et sera incapable de garantir des services adéquats à ses membres.»[33] Malgré cela, un congrès spécial «de la dernière chance» aura lieu les 8 et 9 mai 1971 à Montréal.

«C'était dans l'est de Montréal, chez les pères Monfortains, raconte Laval Le Borgne. 98 pour cent du monde était là. L'imprimerie et l'information étaient d'accord pour relancer la fédération, tripler la cotisation et embaucher trois permanents. Mais c'est le secteur carton qui ne réussit pas à décrocher une majorité. À trois reprises, malgé les efforts de Michel Gauthier, délégué du syndicat de la Kruger à Ville LaSalle et aujourd'hui secrétaire-général de la C.S.N., qui était favorable à la relance, le vote de l'assemblée du secteur fut 10 contre 10. Il fallut bien constater l'échec.» [34]

---

32. Idem.
33. Rapport Thibault sur la F.C.I.I., 6 janvier 1971, p. 8-9.
34. Laval Le Borgne, entrevue du 23 avril 1987.

Tutelle

Et c'est ainsi que les 16 et 17 mai, l'exécutif de la CSN adopte la résolution suivante: «Que suite au résultat dudit congrès et conformément au rapport antérieur de l'enquêteur Jean Thibault: (...) le conseil confédéral d'automne soit appelé à prononcer le retrait de toute juridiction à cette fédération et l'affiliation des syndicats concernés aux autres fédérations appropriées.»[35]

Malgré cette décision de l'exécutif de la C.S.N. et les résultats du congrès spécial, le Syndicat des journalistes de Montréal devenu le Syndicat général des communications (S.G.C.) adopte à l'unanimité, à son conseil syndical du 26 mai 1971, une proposition qui dit: «Nous nous déclarons en faveur du maintien et de la reconstruction de la F.C.I.I.» [36]

Cette proposition du S.G.C. est amenée, sous une autre forme, par des délégués au bureau confédéral des 15 et 16 juin 1971, afin de contrer la décision de l'exécutif de la C.S.N. sur le démantèlement de la F.C.I.I.

Cependant, elle est rejetée et la mise en tutelle de la F.C.I.I. est confirmée par le vote du bureau confédéral.

À sa réunion du 29 juin 1971, le comité exécutif de la C.S.N. convient que:

A) la décision du bureau s'applique à compter du 1er juillet 1971 (...) ;

B) la CSN est tenue de donner les services que normalement la fédération devrait donner à ses syndicats affiliés (...);

C) il est convenu de confier au confrère Jean-Jacques Lafontaine, adjoint au vice-président, le soin de faire les contacts avec d'autres fédérations (...);

D) la fédération doit également être avisée qu'à compter du 1er juillet, elle n'a plus à donner de services;

E) la fédération devra également fournir un bilan de ses états financiers arrêté au 30 juin 1971. [37]

35. Procès-verbal, exécutif C.S.N., 16-17 mai 1971, p. 44-45.
36. Dossiers exécutifs C.S.N., relations F.C.I.I.-syndicats, chemise 5.
37. Procès-verbal, exécutif C.S.N., 29 juin 1971, p. 61.

C'en est fait de la F.C.I.I. Les journalistes du S.G.C. commencent alors leur «magasinage» auprès des autres fédérations de la C.S.N. pour étudier les perspectives d'une nouvelle affiliation. Trois hypothèses semblent plausibles: affiliation à la Fédération des ingénieurs et cadres, à la Fédération des enseignants ou à celle des services publics. Le président du S.G.C., André Béliveau lance, le 19 octobre 1971, une invitation à tous les syndicats des communications pour un «colloque d'orientation» le 30 du même mois. Mais, ce projet de colloque est contremandé par les événement à *La Presse*. Après avoir «lockouté» pendant plus de trois mois les typographes, les expéditeurs et les pressiers, *La Presse* vient de déclencher un lock-out général contre les employés restants et de fermer le journal, le 26 octobre 1971. Dans un tel contexte, il est impossible au S.G.C., très impliqué dans le conflit à *La Presse*, de donner suite à son projet de colloque. Le conflit à *La Presse* ne prendra fin que le 7 janvier 1972.

Vers une fédération autonome

Laval Le Borgne, futur président-fondateur de la F.N.C., évoque, le 13 janvier 1972, au conseil syndical du S.G.C. auquel il appartient, «les possibilités d'affiliation (du) syndicat à la Fédération des employés des services publics du Québec (F.E.S.P.)».[38] Le même Laval Le Borgne adresse, le même jour, une lettre circulaire à tous les membres des exécutifs des syndicats du secteur des communications tant au niveau de la F.C.I.I. que de la F.E.S.P.: «À deux reprises, écrit-il, en décembre 1971 et en janvier 72, le bureau confédéral de la C.S.N. n'a pas réussi à nous trouver une (niche) à l'intérieur d'une des fédérations existantes. Par contre, les délégués du secteur, réunis en décembre 71, ont exprimé le vœu que les syndicats fondent une fédération nationale des communications-FNC; les délégués ont aussi souhaité que la nouvelle fédération, compte tenu de ses effectifs réduits (environ 1 500 membres), prenne une entente de service temporaire avec soit la Fédération nationale des enseignants québécois, soit avec la Fédération nationale des employés des services publics.»[39]

---

38. Dossiers S.G.C.-S.J.M., chemise 1972.
39. Dossiers exécutif C.S.N., Pertinence F.C.I.I., chemise 8.

Dans sa lettre, Le Borgne invite les représentants des syndicats pour une réunion, le 12 février 1972, dans le but de décider si le secteur veut vraiment sa propre fédération. Le 1er mars 1972, Laval Le Borgne est élu président du S.G.C. Le 5 avril 1972, une assemblée extraordinaire du conseil syndical du S.G.C. adopte une proposition afin «que le conseil intervienne au congrès de la F.P.J.Q. pour mettre sur la table la formation de la F.N.C.» [40]

Ce vœu est suivi, le 8 juin 1972, d'un deuxième mandat. Le conseil syndical adopte une proposition pour «que les délégués du S.G.C. au congrès de la C.S.N., travaillent dans le sens de la création de la F.N.C. et qu'ils fassent les démarches nécessaires auprès des autres syndicats».[41] Le 13 juin 1972, une nouvelle réunion des syndicats du secteur communications a lieu à Québec. C'est à cette réunion que les syndicats représentés adoptent une proposition formelle: «que l'on fonde la Fédération nationale des communications».[42] Pour concrétiser cette volonté collective, une deuxième proposition est acceptée. Elle dit: «Que d'ici la mi-octobre 1972, les syndicats ici représentés se choisissent des délégués selon le mode de la constitution de la F.C.I.I., pour le congrès de la fondation de la Fédération nationale des communications, congrès qui devra se tenir avant la mi-octobre 1972. De plus, qu'au congrès de la F.N.C., chaque syndicat envoie un délégué officiel; il peut cependant envoyer autant de délégués fraternels qu'il lui plaira et les votes se prendront par syndicat.» [43]

Le congrès de fondation

C'est une commission itinérante, formée de Laval Le Borgne (S.G.C.), André Dionne (S.J.Q.) et Robert Lacelle du Syndicat de l'imprimerie et de l'information de la région Ottawa-Hull (S.I.I.R.O.H.), qui est chargée de préparer le congrès. Le 22 juillet 1972, la commission itinérante accepte un projet de budget pour la future F.N.C. prévoyant un per capita de 0,5%. (La F.N.C. est la

40. Dossier S.G.C.-S.J.M., chemise 1972.
41. Idem.
42. Dossiers F.N.C., originaux congrès 1972.
43. Idem.

deuxième fédération, après la Fédération nationale des enseignants québécois à avoir adopté le mode de cotisation à pourcentage du salaire brut). La commission fixe aussi les dates du congrès de fondation pour les 14 et 15 octobre 1972. Dans une lettre adressée à tous les officiers du secteur des communications, le 3 juillet 1972, Laval Le Borgne présente les décisions prises par la commission. Il précise en conclusion que «le premier vice-président de la C.S.N., le camarade Norbert Rodrigue, qui est en même temps l'administrateur de la F.C.I.I. en tutelle, est tenu au courant de toutes nos démarches et s'est engagé à mon égard à nous aider à mettre au monde cette fédération».[44] De fait, Norbert Rodrigue, récemment élu vice-président de

Louis Champagne, ancien vice-président, et le président fondateur de la Fédération, Laval Le Borgne, encadrent Norbert Rodrigue qui, alors qu'il était vice-président de la CSN, a défendu avec succès la structuration de la F.N.C. telle qu'elle existe toujours.

la centrale, est un supporteur de l'idée d'une nouvelle fédération qui ferait une vraie place aux journalistes alors que la F.C.I.I. elle, «était contrôlée en définitive par l'imprimerie».[45]

44. Dossiers F.N.C., chemise 1972.
45. Norbert Rodrigue, entrevue du 11 mai 1987.

Dans une deuxième lettre, le 11 août 1972, Le Borgne adresse à tous les officiers du secteur des communications une série de documents sur les statuts et règlements, l'orientation et la composition de l'exécutif et du bureau fédéral de la F.N.C. Quelques jours plus tard, soit le 8 septembre 1972, la commission itinérante décide que le congrès de fondation devra être reporté aux 17, 18 et 19 novembre 1972. Cette décision est imputable à la «campagne électorale fédérale»,[46] durant laquelle les journalistes délégués ne peuvent se libérer pour les 14 et 15 octobre. Autre décision de la commission itinérante: le 9 septembre 1972, elle change le mode de représentativité, en donnant à chacun des syndicats une délégation de deux officiers, «plus un délégué supplémentaire par tranche complète de 25 membres». [47]

Toutes ces décisions de la commission itinérante et des deux colloques des syndicats du secteur des communications aboutissent le 14 septembre, à une rencontre au sommet entre l'exécutif de la C.S.N. et Laval Le Borgne. Ce dernier y présente le projet de création de la Fédération nationale des communications (F.N.C.), qui est approuvé à l'unanimité (le schisme de la C.S.D. a eu lieu en mai et les 3 D ne sont plus membres de l'exécutif). Le bureau confédéral des 27 et 28 septembre 1972 endosse la position de l'exécutif et «recommande au conseil confédéral d'autoriser la création d'une fédération des communications qui représenterait sur une base industrielle les syndicats de médias de masse, soit les journaux, la radio, la télévision (par ondes et par câble) et le cinéma». [48]

Cette recommandation est adoptée par le conseil confédéral réuni du 4 au 7 octobre 1972. Tout est prêt pour la création de la F.N.C. Son congrès de fondation se tient comme prévu, les 17, 18 et 19 novembre 1972 à Montréal.

---

46. Dossiers F.N.C., originaux congrès 1972.
47. Idem.
48. Procès-verbal, bureau confédéral, 27-28 septembre 1972, p. 10.

Hors-texte 2

Schisme à la C.S.N.

«La C.S.N. a été frappée en 1972, au moment des négociations du Front commun dans les services publics, par un véritable schisme qui a constitué l'épreuve la plus dure subie par la centrale depuis sa fondation 50 ans plus tôt. En l'espace d'une année, elle a perdu le tiers de ses effectifs (70 000 membres). Près de la moitié des dissidents, issus surtout du secteur privé, ont formé une nouvelle centrale, la C.S.D. 30 000 membres du Syndicat des fonctionnaires provinciaux se sont désaffiliés par un vote serré de 51 pour cent des voix. La C.S.N. a également perdu 9 000 membres du secteur de l'aluminium.[49]

«Un des grands conflits de cette période survient à l'été 1971 au journal *La Presse*, «le plus grand quotidien français d'Amérique», et va durer près de 7 mois.

Le 19 juillet, le nouveau propriétaire du journal, le conglomérat Power Corporation, dirigé par Paul Desmarais, décrète un lock-out contre ses 300 typographes, clicheurs, photograveurs et pressiers affiliés à la F.T.Q. Les typos, membres d'un des plus anciens syndicats internationaux au Québec, se battent avec leurs camarades contre les effets de changements technologiques qui menacent leurs emplois. Le quotidien continue de paraître mais face à la solidarité grandissante entre les hommes de métiers en lock-out et les 1 000 autres employés du journal, membres d'une dizaine de syndicats réunis en front commun F.T.Q.-C.S.N., la direction fait un lock-out général le 27 octobre.

La F.T.Q., en collaboration avec les autres centrales, prépare depuis plusieurs semaines une grande manifestation unitaire d'appui aux syndiqués de *La Presse*, qui doit avoir lieu le vendredi 29 octobre, ce qui tombe deux jours après l'arrêt de parution du journal. À quelques heures de la marche de solidarité, le maire Drapeau recourt au règlement municipal anti-manifestation. Le soir du 29 octobre, plus de 15 000 personnes se heurtent donc à des barrages dressés par des policiers de l'escouade dite anti-émeute qui bloquent le parcours vers l'édifice de *La Presse*. Après un face à face qui apparaît interminable, dans une atmosphère de tension extrême, la police charge avec une brutalité inouïe, à coups de matraques. Bilan officiel: 200 arresta-

---

49. Idem, p. 259.

tions, plus de 300 blessés et un mort, une jeune femme qui succombe étouffée à la suite d'une crise d'asthme; Michèle Gauthier aura droit à des funérailles syndicales impressionnantes: parmi les porteurs, les chefs des trois centrales syndicales, Louis Laberge, Marcel Pepin et Yvon Charbonneau.

L'indignation et la colère sont grandes. Le 2 novembre, près de 20 000 personnes emplissent le Forum à l'occasion d'une assemblée de riposte inter-syndicale, à l'appel du conseil central de Montréal (C.S.N.) dirigé par Michel Chartand. Des délégations de syndiqués sont venues de partout au Québec. Certains orateurs critiquent le Parti Québécois qui a refusé de participer à la manifestation du 29 octobre par un vote de six contre cinq de son exécutif national, ce qui a provoqué la dissidence publique du leader parlementaire du P.Q., le syndicaliste Robert Burns. Des dirigeants syndicaux lancent, pour la première fois, des appels à une grève générale de solidarité avec les syndiqués de *La Presse*.

Les lockoutés publient leur propre journal, *Le Quotidien populaire*, les appuis se multiplient et, finalement, la solidarité a gain de cause. La direction de *La Presse* s'engage à ne pas faire de licenciements reliés aux changements technologiques et à ne pas accorder de sous-contrats à l'extérieur. Quant aux journalistes, ils obtiennent notamment certaines garanties de liberté d'information.»[50]

---

50. Idem, p. 262-264.

Chapitre IV

La filière professionnelle

La création de la F.N.C. en 1972 marque la réussite collective des journalistes en tant que corps de métier dont l'importance n'a cessé de croître tout au long du XXe siècle. Ce processus d'affirmation s'est déployé sur deux voies en partie parallèles et jusqu'à ce jour apparemment irréductibles l'une à l'autre. D'un côté, la Fédération professionnelle des journalistes du Québec (F.P.J.Q.), de l'autre, la Fédération nationale des communications (F.N.C.), toutes deux créées et maintenues en activité par des syndicats locaux de journalistes.

Comme s'il s'agissait de deux visages pour un même désir d'être reconnu, de deux façons de traduire les mêmes préoccupations, de deux pôles d'une même situation, celui de la différence (F.P.J.Q.), celui de la solidarité (F.N.C.). Or cette tension entre le sentiment de fraternité qui pousse à s'unir avec les autres travailleurs et l'attrait de la distinction était là dès le début.

Ainsi, en 1928, lorsque la F.C.M.I.C. tente vainement de syndiquer les journalistes de *La Presse*, on voit la direction de ce quotidien se justifier en arguant que «les journalistes sont des intellectuels et que leur travail ne peut se mesurer de la même façon que le travail manuel; que l'établissement d'une échelle de salaire amènerait la déchéance du journalisme, etc.»[1]

Cet argument, visiblement d'une autre époque (i.e. d'avant la syndicalisation des intellectuels du secteur public dans les années 60), fait fortune dans les années 50 non seulement chez les patrons et cadres mais aussi dans les rangs des journalistes syndicables. C'est lui

---

1. Programme-souvenir, 1928, p. 47.

que pourfend Gérard Pelletier en 1955. De fait, au moment de la percée véritable du syndicalisme chez les journalistes, à la fin de la guerre 39-45, certains «intellectuels» refusent de s'abaisser à des «formules ouvrières» d'organisation syndicale. Ces professionnels de la plume s'opposent à la solidarité avec les simples ouvriers au nom de leur noblesse d'intellectuels.

Hors-texte 3

Travailleurs manuels et journalistes

«Vous êtes des professionnels dit-on (aux journalistes). Qu'allez-vous vous mêler aux travailleurs manuels, gens fort dignes, certes nullement méprisables — on protège ses arrières — mais en rien comparables par leur occupation, aux intellectuels que vous êtes. Le corbeau et le renard... Or voici dix ans que les journalistes refusent de chanter. Et leur abstention a fait la preuve d'une grande vérité: c'est au moment même où les non-manuels refusent ces raisonnements spécieux qu'ils imposent le respect de leur profession. Par la négociation collective, appuyée sur la solidarité ouvrière, ils commandent enfin les traitements qu'ils méritaient de toujours. L'action syndicale les force à réfléchir sur leur statut; c'est à partir du syndicalisme que les journalistes ont entrepris de mettre en vigueur un code d'éthique professionnelle, d'établir des liens professionnels avec tous les journalistes du pays, du continent, du monde.

«Qu'allez-vous vous mêler aux travailleurs manuels. Nous allions humblement recevoir les leçons de gens que la misère a instruits, que la solidarité a sauvés...

«Le syndicalisme nous a ouvert les yeux. Les liens établis entre journalistes et travailleurs industriels constituent un moyen permanent d'échange et d'éducation mutuelle... L'avance du syndicalisme, la montée des forces ouvrières, la réforme sociale qui s'amorce, l'action politique des syndicats, le rôle historique que jouent désormais les organisations ouvrières, tout ce grouillement vital, les journalistes n'en sont pas seulement les témoins, mais plusieurs en sont devenus les militants.

«Cette dernière évolution dissipe du reste un autre mensonge jusqu'ici entretenu avec beaucoup de soin: journalistes et ouvriers industriels peuvent parfaitement collaborer sans qu'aucun des groupes ne domine l'autre.

«Ni l'une ni l'autre de ces prophéties de malheurs ne s'est vérifiée. Dix ans d'expérience témoignent d'une collaboration où nous avons reçu et donné. Le mouvement ouvrier nous a accueillis, appuyés, aidés, formés. Mais, s'il ne nous appartient pas de nous vanter, il faut quand même dire en toute objectivité, en toute fierté aussi, que l'apport des journalistes au prestige et à l'orientation du mouvement ouvrier a compté pour beaucoup dans l'histoire québécoise des dernières années.»[*]

[*] PELLETIER, Gérard, *Le journaliste canadien-français*, avril-mai 1955, p. 3. M. Pelletier a été rédacteur en chef du quotidien *La Presse*, ministre du gouvernement libéral fédéral dans le gouvernement de Pierre Elliott Trudeau, ambassadeur du Canada à Paris et représentant du Canada à l'O.N.U.

L'ambition des journalistes

Il n'est donc pas surprenant que des ouvriers de l'imprimerie reprochent aux journalistes leur individualisme, voyant même dans un projet de corporation qui est lancé en 1944, l'aveu de leur «ambition professionnelle» de rupture. Dans l'interview qu'il accordait en 1966, au moment où les journalistes font plus que jamais le trouble au sein de la F.C.I.I., Roland Thibodeau rappelle à Pierre Vennat de *La Presse*:

«En 1944, il faut pas l'oublier, ce n'est pas un syndicat de journalistes que vous avez fondé. C'est un local du syndicat de l'Industrie du journal. Mais par ambition personnelle on a parlé aussitôt de séparation.»[2]

En effet, dès avril 1944, les journalistes, à peine devenus membres du Syndicat de l'industrie du journal, créent le Syndicat des journalistes de Montréal (S.J.M.), manifestant d'entrée de jeu leur volonté d'être un groupe distinct, celui-ci ne sera, pendant plusieurs années, comme ce fut le cas jusqu'en 1948, qu'une entité sans existence juridique. Quelques mois plus tard, en juillet, un comité d'étude du S.J.M.[3], sous la direction du père Jacques Cousineau, jésuite et aumônier du S.J.M., commence l'élaboration d'un plan de corpora-

2. Roland Thibodeau, in *Le Trente*, septembre-octobre 1966, p. 15.
3. Procès-verbal du Congrès du C.T.C.C. de 1944, p. 195.

tion des journalistes. (Il ne faut pas comprendre cette poussée corporative à la lumière de nos corporations actuelles, inspirées par des modes d'organisation des professions libérales: médecine, droit, etc. Il faut plutôt penser aux corporations ouvrières du Moyen Âge et au syndicalisme de métier de la fin du XIXe siècle, dont le modèle a été valorisé dans l'entre-deux-guerres par la pensée sociale catholique.) En octobre de la même année, les journalistes participent pour la première fois à un congrès de la Fédération des métiers de l'imprimerie (F.M.I.C.) et obtiennent que celle-ci se fixe comme projet d'avenir l'établissement d'une corporation professionnelle pour les journalistes. Mais dans son rapport au congrès, le président Georges-Aimé Gagnon prend soin de souligner la nécessité de l'alliance des métiers.

Après avoir soutenu que la corporation s'impose sur le plan professionnel et sur le plan économique, il insiste sur la nécessité d'un «front uni» avec l'ensemble du monde ouvrier pour éviter les «pièges» de la division. Mais l'idée d'un groupe à part rebondira périodiquement par la suite. Ainsi, en 1961, au congrès de l'Union canadienne des journalistes de langue française (U.C.J.L.F.), le président de la Fédération canadienne de l'imprimerie et de l'information (F.C.I.I.), Gérard Picard, lui-même ancien journaliste, dut faire échec à une résolution qui proposait la création d'une corporation professionnelle. Picard déclara qu'un tel geste équivaudrait à renoncer au syndicalisme et ferait bien l'affaire des employeurs.

Promotion d'un club privé

En 1946, le S.J.M. suscite une autre initiative qui démarque les journalistes. Il organise le premier congrès des journalistes du Québec à Montréal en l'hôtel Windsor, les 9, 10 et 11 novembre 1946. Ce congrès de trois jours a pour but de réunir pour la première fois tous les membres de la profession: les propriétaires de journaux étant invités au même titre que les rédacteurs et les nouvellistes; mais également, tous les journalistes de langue française et de langue anglaise de toute la province. N'ayant aucun caractère syndical, cette assemblée générale vise à «fournir l'occasion de fraterniser, de préciser certains points de vue et de jeter les bases d'un programme d'avenir».[4] À la recherche de la collaboration de tous pour «donner un nouveau lustre à la profession», ce congrès a aussi en vue de mieux faire connaître au grand public le rôle du journaliste, ses responsabilités face à la collectivité et la place qu'il occupe dans l'évolution et les progrès du Québec.

Selon le journal *L'Imprimeur*: «Les résultats du 1er congrès des journalistes ont dépassé toutes les espérances puisque plus de 400 journalistes ont participé aux séances et que le tout s'est terminé dans la plus parfaite harmonie et un accord parfait... Le congrès est tombé unanimement d'accord sur la formation d'un comité qui étudiera un projet de constitution d'une association professionnelle.»[5]

Mais l'événement n'aura pas de suite autre qu'une vilaine querelle dans laquelle l'un des pionniers du syndicalisme chez les journalistes, Jean-Baptiste Nowlan de *La Presse* fut éclaboussé. De même qu'un comparse de *La Patrie*, il fut accusé, à raison confirmera un comité d'enquête du S.J.M., de s'être servi du congrès comme d'une couverture pour intéresser les journalistes à la mise sur pied du *Montreal Press Club Inc.* ou Club des journalistes de Montréal Inc., une entreprise purement commerciale.[6]

Un pas vers la F.I.J.

L'offensive suivante fut déclenchée en 1952. Au mois de mai de cette année-là, à Bruxelles d'abord et à Paris ensuite, deux représentants du S.J.M., MM. Roger Champoux de *La Presse* et Dostaler O'Leary de *La Patrie*, étaient délégués au congrès de la Fédération internationale des journalistes et à l'Association internationale des journalistes de langue française. Le congrès dans la capitale belge avait «pour but de reconstituer la Fédération Internationale des Journalistes, créée à Copenhague en 1946 et par la suite noyautée et sabotée par les éléments staliniens».[7] En réalité, le congrès de Bruxelles

---

4. *Programme-souvenir* du premier Congrès des journalistes du Québec, Montréal, 1946, p. 2.
5. *L'Imprimeur*, novembre 1946, p. 2.
6. Rapport du comité d'enquête du Syndicat des journalistes de Montréal sur l'organisation du Congrès de journalistes de novembre 1946, p. 16.
7. *L'Imprimeur*, juillet 1952, p. 4.

visait à exclure les journalistes de l'URSS et ceux des autres pays socialistes de la Fédération internationale des journalistes.

Dans la capitale française, les journalistes de France, de Belgique, du Canada, de l'Union française et de la Suisse devaient «définir les modes d'action et nommer les directeurs de l'Association internationale des journalistes de langue française».[8]

Selon le *Journaliste canadien-français* d'avril-mai 1955, les délégués syndicaux montréalais furent stupéfaits «en arrivant à Bruxelles d'apprendre que le Canada avait été invité par le truchement de l'*American Newspaper Guild* (T.N.G.), affiliée à la C.I.O. Les Américains s'arrogeaient le droit de nous représenter, s'octroyant ainsi les sièges réservés à chaque pays».[9] Cette situation paradoxale s'explique par les exigences internationales de la Fédération qui font que seuls les organismes à caractère national sont invités à participer au congrès. Le S.J.M. ne représentant pas véritablement les journalistes de langue française de l'ensemble du Canada, il ne pouvait donc pas siéger officiellement au congrès.

Un quelconque compromis fut concocté sur les lieux mais dès leur retour au pays, les délégués du S.J.M. soumettent un rapport sur cette situation et le présentent au congrès de la F.M.I.C. à Chicoutimi les 20 et 21 juin 1952. Ils recommandent que le congrès «approuve en principe la formation d'un organisme culturel qui groupera sur le plan national, les divers syndicats et groupements des journalistes de langue française du pays, dans le but de permettre aux journalistes syndiqués de la F.M.I.C. de représenter la presse canadienne d'expression française tant sur le plan national que sur le plan international et de parler en son nom. Cet organisme pourra être désigné L'union canadienne des journalistes de langue française (U.C.J.L.F.).»[10]

Une nouvelle fois, le président G.-A. Gagnon sentit le besoin de rappeler que «la franche coopération doit exister au sein de la fédération et il ne doit pas y avoir de différence, en tant que syndiqués, entre journalistes et hommes de métier. Une collaboration étroite et sincère est nécessaire entre tous ceux qui font partie de l'industrie de l'imprimerie, et cela pour l'avancement et le bien général du mouvement. La résolution qui est actuellement présentée n'est en somme

---

8. Idem.
9. *Le Journaliste canadien-français*, avril-mai 1955, p. 1.
10. Procès-verbal, 28e congrès F.M.I.C., 1952, p. 27.

qu'un droit de représentation des journalistes de langue française tant sur le plan national que sur le plan international.»[11]

Hors-texte 4

Congrès de fondation de la F.N.C.
Procès-verbal

SESSION DE SAMEDI LE 18 NOVEMBRE 1972
(La soirée du 17 n'a servi qu'à l'inscription des délégués)

1. Relevé des présences: voir ANNEXE «Assemblée de fondation: liste des participants».

2. Observateurs

Claude Beauchamp (Fédération professionnelle des journalistes du Québec); Normand Dugas (Syndicat des journalistes d'Ottawa).

3. Secrétaire du congrès

Il est proposé par Rhéal Bercier que Gaétan Fortin agisse comme secrétaire du congrès. Gaétan Fortin décline.

Il est proposé par Jean-Pierre Paré qu'Yves Rochon agisse comme secrétaire du congrès. Yves Rochon accepte.

4. Ouverture du congrès

Laval LeBorgne, vice-président du secteur communications de la Fédération canadienne de l'imprimerie et de l'information (en tutelle), décrète le congrès de fondation de la Fédération nationale des communications ouvert.

5. Ordre du jour

Il est proposé par Jacques Filteau appuyé par Réjean Lacombe que le congrès adopte l'ordre du jour tel que lu.

En amendement:

Il est proposé par Jean-Pierre Paré appuyé par Nicole Gladu que le congrès étudie les différents documents de travail en comité plénier plutôt qu'en ateliers.

---

11. Idem.

L'amendement est rejeté à la majorité des voix et la proposition principale est adoptée.

6. Fondation de la F.N.C.

Il est proposé par Claude Vaillancourt appuyé par André Dalcourt que soit fondée la Fédération nationale des communications.

7. Président du congrès

Il est proposé par Jean-Pierre Paré appuyé par Nicole Gladu que Clément Trudel agisse comme président du congrès et président du comité plénier.

Il est proposé par Rhéal Bercier que Gilles Monette agisse comme président du congrès et président du comité plénier. Gille Monette décline; Clément Trudel prend place à la tribune.

8. Comité des lettres de créance

Mise en nomination pour la formation du comité des lettres de créance:

Jean-Pierre Paré propose Colette Duhaime; elle accepte.

Jean-Pierre Paré propose René Thibodeau; il décline.

François Linteau propose Laval LeBorgne; il accepte.

Rhéal Bercier propose Gaétan Fortin; il accepte.

Il est proposé par Claude Vaillancourt appuyé par Jean-Pierre Paré que le comité des lettres de créance soit formé par (sic) Laval LeBorgne, Colette Duhaime et Gaétan Fortin. (ADOPTÉ)

Il est proposé par Laval LeBorgne appuyé par Michael McAndrew que l'acceptation des délégués se fasse au plus tard à 2:30 samedi le 18 novembre 1972 par le comité des lettres de créance. (ADOPTÉ)

Il est proposé par Jean-Pierre Paré que le congrès ajourne ses délibérations pour l'heure du déjeuner.

Reprise des délibérations

Il est proposé par Georges Angers appuyé par Louis Fournier que le rapport sommaire du comité des lettres de créance soit adopté tel que lu par Laval LeBorgne. (ADOPTÉ)

9. Énoncé de principes

Il est proposé par Michael McAndrew appuyé par Réjean Lacombe que l'énoncé de principe préparé par Laval LeBorgne soit adopté pour fin de discussion. (ADOPTÉ SUR DIVISION)

10. Études des prévisions budgétaires

Il est proposé par Georges Angers appuyé par François Linteau que le congrès se transforme en comité plénier pour étudier les prévisions budgétaires. (ADOPTÉ)

Retour en congrès

11. Rapport du comité des lettres de créance

Il est proposé par Nicole Gladu appuyé par Pierre Allard que le rapport du comité des lettres de créance soit adopté tel que lu par Gaétan Fortin. (ADOPTÉ)

12. Étude sur le budget

Il est proposé par Michael McAndrew appuyé par Réjean Lacombe que le montant de $19 000 prévu pour le conseiller juridique au budget soit mis à la disposition du bureau fédéral pour qu'il engage un conseiller syndical, ou un conseiller juridique ou un militant libéré, suivant les besoins de la F.N.C.

En amendement:

Il est proposé par André Béliveau appuyé par Maurice Amram que soit remplacé le conseiller juridique prévu au budget par un poste de conseiller syndical ou de militant libéré, à la discrétion du bureau fédéral. (L'AMENDEMENT EST ADOPTÉ SUR DIVISION)

Il est proposé par Nicole Gladu appuyée par Jean Giroux que la F.N.C. prévoie d'affecter dans son budget, le cas échéant, une somme de $2 000 provenant du fonds de péréquation de la C.S.N. pour l'éducation politique et syndicale.

Intégré sur proposition de Colette Duhaime, qu'à ce $2 000 soit ajouté le $1 000 épargné en remplaçant le conseiller juridique par un conseiller syndical.

Jacques Filteau, appuyé par Rhéal Bercier, demande la question préalable. (ADOPTÉ)

Vote sur proposition Gladu/Giroux (ADOPTÉ SUR DIVISION)

Il est proposé par Jean-Pierre Paré appuyé par Alain Gazaille que le congrès adopte les prévisions budgétaires telles qu'amendées sur la base d'une cotisation à un demi de un pour cent des revenus.

Paré/Gazaille retirent de leur proposition l'exigence d'une cotisation à un demi de un pour cent des revenus. Leur proposition doit se lire:

Il est proposé par Jean-Pierre Paré appuyé par Alain Gazaille que le congrès adopte les prévisions budgétaires telles qu'amendées.

En amendement:

Il est proposé par René Thibodeau appuyé par Jacques Filteau que le congrès vote d'abord sur la répartition des dépenses et ensuite sur la répartition des revenus escomptés. (ADOPTÉ)

Il est proposé par Michael McAndrew appuyé par Jacques Filteau que les prévisions des dépenses telles qu'amendées soient adoptées. (ADOPTÉ SUR DIVISION)

Il est proposé par Jean-Pierre Paré appuyé par Alain Gazaille que les revenus tels que présentés soient adoptés.

Il est proposé par Jean Giroux appuyé par Claude Vaillancourt que la proposition Paré/Gazaille soit laissée sur la table. (ADOPTÉ)

Il est proposé par Jean Giroux appuyé par Nelson Labrie que le congrès adopte le un demi de un pour cent des revenus comme méthode de cotisation à la F.N.C., laissant au bureau fédéral le pouvoir de faire des exceptions durant un an pour les syndicats ne fonctionnant pas par cotisation au pourcentage.

En amendement:

Il est proposé par Nicole Gladu appuyée par Pierre Allard que le congrès adopte le un demi de un pour cent des revenus comme méthode de cotisation à la F.N.C., laissant au bureau fédéral le pouvoir de faire des exceptions durant un an pour les syndicats ne fonctionnant pas par cotisation à pourcentage, et mandatant dès à présent le dit bureau pour faire une exception dans le cas du Syndicat de l'industrie du Journal de Québec Inc.

Georges Angers, appuyé par André Dionne, demande la question préalable (ADOPTÉ).

Vote sur l'amendement Gladu/Allard:	pour	12
	contre	1
Vote sur proposition Paré/Gazaille:	pour	11
	contre	1

13. Allocution de Norbert Rodrigue

Le président du congrès invite Norbert Rodrigue, premier vice-président de la C.S.N. à prendre la parole.

Il est proposé par Blaise Gouin appuyé par Michael McAndrew que le congrès soit ajourné à dimanche le 19 novembre, 9:30 AM. (ADOPTÉ)

SESSION DE DIMANCHE LE 19 NOVEMBRE 1972

14. Correction du procès-verbal

Il est proposé par Jacques Filteau appuyé par Louis Fournier que les minutes de la séance de samedi le 18 novembre 1972, après explications du délégué Maurice Amram, fassent état d'un vote unanime pour le taux de cotisation à un demi de un pour cent. (ADOPTÉ À L'UNANIMITÉ)

15. Composition du comité exécutif

En faveur d'un comité exécutif formé de 5 membres: 13

En faveur d'un comité exécutif formé de 7 membres: 7

Il est proposé par Georges Angers appuyé par Fernand Beauregard que le congrès modifie l'article 21 des projets de statuts fédéraux en incluant 4 vice-présidents. (ADOPTÉ)

16. Comité plénier

Il est proposé par Claude Vaillancourt appuyé par Pierre Allard que le congrès se transforme en comité plénier pour l'étude des statuts fédéraux. (ADOPTÉ)

En comité plénier, les délégués étudient le projet de statuts.

Retour en congrès

La proposition Vaillancourt/Dalcourt (fondation de la F.N.C). est adoptée à l'unanimité.

17. Élection des officiers

Il est proposé par Rhéal Bercier appuyé par André Béliveau que Clément Trudel agisse comme président d'élections pour le choix des officiers, avec droit de vote. (ADOPTÉ)

Il est proposé par Laval LeBorgne appuyé par Nicole Gladu que Diane Pallascio, Louise Paré et Roseline Fournier agissent comme scrutateurs. (ADOPTÉ)

Le président fait lecture de la liste des candidats pour chacun des postes à combler. À tour de rôle, en commençant par la présidence, les vice-présidences, le poste de secrétaire et le poste de trésorier, les délégués votent au scrutin secret.

Le président Clément Trudel déclare Laval LeBorgne élu à la présidence de la F.N.C.

Le président Clément Trudel déclare élus à la vice-présidence (par ordre alphabétique): Georges Angers, Louis Champagne, Nicole Gladu, René Thibodeau.

Le président Clément Trudel déclare Alain Gazaille élu secrétaire de la F.N.C.

Le président Clément Trudel déclare Jacques Filteau élu trésorier de la F.N.C.

18. Protestation

Attendu que samedi le 18 novembre 1972, des organisateurs du Parti Libéral du Québec, dirigés par M. Claude Péloquin, directeur de l'information, ont saisi des rubans magnétiques et magnétoscopiques utilisés par les journalistes dans les ateliers du congrès libéral.

Il est résolu que la Fédération Nationale des Communications proteste contre les entraves apportées au travail des journalistes, spécialement ceux de la presse électronique, par les organisateurs du congrès libéral tenu les 17, 18 et 19 novembre 1972 à Montréal.

La Fédération Nationale des Communications considère que ce geste est symptomatique de la volonté du parti au pouvoir de créer un climat d'oppression pour empêcher une discussion saine des problèmes auxquels sont confrontés les travailleurs et l'ensemble de la population. (ADOPTÉ À L'UNANIMITÉ)

19. Cotisations recevables

Il est proposé par Pierre Allard appuyé par René Thibodeau que les cotisations des membres de la Fédération Nationale des Communications soient recevables à partir du 1er janvier 1973. (ADOPTÉ)

20. Comité plénier

Il est proposé par Jacques Filteau appuyé par Louis Fournier que le congrès se transforme en comité plénier pour poursuivre l'étude du projet de statuts fédéraux. (ADOPTÉ)

Retour en congrès

21. Adoption des statuts fédéraux

Il est proposé par Michael McAndrew appuyé par Célestin Hubert que les statuts fédéraux, tels qu'amendés en comité plénier à partir du document de travail, soient adoptés. (ADOPTÉ)

22. Message du président

Le président Laval LeBorgne adresse la parole aux délégués.

23. Délégués à la CSN

Il est proposé par Jean-Pierre Paré appuyé par Pierre Allard que Laval LeBorgne agisse comme délégué de la Fédération nationale des communications au bureau confédéral de la C.S.N. (ADOPTÉ)

Mise en nomination pour le choix du délégué confédéral.

Jean-Pierre Paré propose Georges Angers; il accepte.

Raymond Bernatchez propose Nicole Gladu; elle accepte.

Michael McAndrew propose René Thibodeau; il accepte.

Le président d'élections Clément Trudel, après le vote secret, déclare Georges Angers élu comme délégué de la Fédération nationale des communications au conseil confédéral de la C.S.N. (ADOPTÉ)

Il est proposé par Jean-Pierre Paré appuyé par Pierre Allard que Georges Angers agisse comme délégué de la Fédération nationale des communications au conseil confédéral de la C.S.N. (ADOPTÉ)

24. Motion de référence

Il est proposé par Michael McAndrew appuyé par Clément Trudel que la question du comité de surveillance, que le choix des vérificateurs et que la question d'incorporation de la F.N.C. soient référés au comité exécutif. (ADOPTÉ)

25. Ajournement

Il est résolu à l'unanimité des délégués que le congrès soit levé.

Une pression généralisée

Il ne faudrait pas croire que les pressions pour un statut spécial des journalistes venaient uniquement de Montréal. Ainsi, lors du 29e congrès de la Fédération tenu à Sherbrooke les 19 et 20 juin 1953, c'est au tour du Syndicat des journalistes de Québec (S.J.Q.) de demander la mise en place de nouvelles structures pour consolider l'organisation de l'ensemble des journalistes de la province. À cette fin, le S.J.Q. propose la formation d'un comité spécial pour préparer une convention type dans les grands journaux de la province. Le comité spécial doit aussi «décrocher une extension juridique (afin de couvrir) les journalistes de tous les quotidiens de la province et tous les hebdomadaires de caractère provincial c'est-à-dire, exception faite des hebdomadaires de caractère rural et régional».[12]

Quant à lui, le Syndicat des journalistes d'Ottawa (S.J.O.) dès sa première participation au congrès de la F.M.I.C., en juin 1951, y est allé d'une résolution proposant la mise sur pied d'«un comité de liaison et d'études composé de quatre membres choisis parmi les journalistes (afin) de faciliter les échanges d'information entre les différents groupes de journalistes affiliés à la fédération et d'aider à en organiser d'autres».[13]

---

12. Procès-verbal, 29e congrès de la F.M.I.C., p. 26.
13. Procès-verbal, 27e congrès de la F.M.I.C., 1951, p. 42.

L'organisation et l'élaboration des statuts de l'U.C.J.L.F. prendra un peu plus d'un an. C'est le 30 janvier 1954 qu'aura lieu sa première réunion officielle au Cercle universitaire de Montréal.

Au départ, en conformité avec les règlements de la Fédération internationale des journalistes (F.I.J.) à laquelle elle avait mission de s'affilier, l'U.C.J.L.F. a été constituée sur la base des syndicats de journalistes. Aussi, au début, agit-elle comme un allié naturel des syndicats. Par exemple, elle ne se gêna pas pour dénoncer publiquement la compagnie *Le Soleil ltée*, qui publiait les quotidiens *Le Soleil* et *L'Événement-Journal*, pour son refus de négocier avec les représentants dûment mandatés du Syndicat des journalistes. Jugeant que ce refus d'une «des libertés élémentaires, reconnues depuis longtemps aux travailleurs de tous les métiers (était) une entrave au développement du journalisme», l'U.C.J.L.F. décida, «d'utiliser tous les moyens en son pouvoir (pour) apporter tout l'appui moral et matériel possible (aux) confrères de Québec».[14]

Par ce comportement, l'U.C.J.L.F. affirmait que le syndicalisme était son essence et que sa principale raison d'être était d'unir les syndicats et de favoriser leur entraide, non de se substituer à eux. Du même coup, l'U.C.J.L.F. prenait ses distances par rapport à l'idée de corporation conçue comme «un corps respectable et respecté» pour ne pas dire plus digne qu'une organisation syndicale. Le choix était clair. Comme le dira un peu plus tard le président de l'U.C.J.L.F.: «que ceux qui ont pu croire que l'Union canadienne des journalistes de langue française avait été fondée dans l'intention de remplacer le syndicat se détrompent».[15]

Au départ, en plus de ceux reliés à la F.I.J., l'U.C.J.L.F. avait plusieurs buts. Elle voulait représenter tous les journalistes francophones et s'occuper de questions telles que la reconnaissance du journalisme en tant que profession, l'établissement d'un code déontologique, l'élaboration de normes de performance et la promotion de programmes de formation journalistique. L'Union a même concentré un temps ses efforts sur la création d'un conseil de presse et sur la distribution ainsi que la reconnaissance des cartes de presse.

---

14. *L'Imprimeur*, mai 1954, p. 3.
15. Article de Jean-Marie Morin, président de l'U.C.J.L.F., intitulé: «Gare à l'aristocratisme», dans *Le Journaliste canadien-français*, juillet 1955, vol. 1 no 3, p. 1.

Désyndicalisation et disparition

L'Union avait été créée sur des bases syndicales. Mais des tensions entre les orientations syndicales et professionnelles se manifestent à la fin des années 50. En 1961, l'Union se désyndicalise officiellement. Dès ce moment, elle se fonde sur les seules adhésions individuelles. À cette époque, elle regroupait 500 journalistes sur les 4 000 «journalistes» (au sens très large) de la province. Quelques années plus tard, elle n'en comptera plus qu'une cinquantaine.

En 1959, l'Union avait ouvert ses portes aux journalistes de la presse électronique en plein essor. En 1963, l'Union a accueilli les relationnistes et les pigistes en même temps que les autres non-syndiqués et cadres des salles de rédaction.

L'année suivante, plus précisément le 16 mai 1964, à Sherbrooke, le S.J.M. et le S.J.Q. se donnaient un nouvel instrument de coordination, l'Alliance canadienne des syndicats de journalistes (A.C.S.J.). C'est un organisme de chapeautage de tous les syndicats de journalistes affiliés à la C.S.N. et qui détient le statut d'une organisation consultative à l'intérieur de la Fédération canadienne de l'imprimerie et de l'information (F.C.I.I.), la fédération qui regroupe tous les syndicats d'employés de journaux de la C.S.N. Les syndicats de la presse électronique sont, soit affiliés à la F.T.Q., par le biais de N.A.B.E.T., soit avec d'autres fédérations de la C.S.N.

Selon la revue de la C.S.N. *Le Travail*, l'Alliance devait avoir pour tâche:

«... de coordonner toute décision et, au besoin, toute stratégie pour la défense des intérêts communs des journalistes. Il pourra plus particulièrement aider les syndicats membres dans la préparation, la rédaction et la négociation de leurs conventions collectives en leur apportant, selon le cas, un appui moral et financier.»[16]

L'Alliance est née en mai 1964, mais elle avait été conçue neuf mois plus tôt, en octobre 63, au congrès de l'Institut canadien d'éducation des adultes (I.C.E.A.) à Sainte-Marguerite. Un des thèmes principaux de ce congrès est le rôle des journalistes. Michel Roy y a prédit le décès de l'U.C.J.L.F. et la création éventuelle d'une organisation

---

16. «Conseil intersyndical pour les journalistes», *Le Travail*, vol. XXXIX, no. 1, novembre 1963, p. 2.

pour regrouper tous les journalistes syndiqués ou non, et qui s'occu-
perait des questions professionnelles et syndicales.

Mais l'Alliance ne parvint jamais à obtenir plus qu'un statut consultatif au sein de la C.S.N. À la longue, à cause du manque de fonds
et d'intérêt, l'Alliance a disparu. En même temps, en 1968,
l'U.C.J.L.F., qui comptait moins de 50 membres actifs, est elle aussi
disparue de la carte. Par contre, comme elle avait été incorporée légalement, elle a survécu sur papier pour une autre dizaine d'années.

Naissance de la F.P.J.Q.

Mais moins d'un an après la disparition de l'Alliance et de
l'U.C.J.L.F., un autre organisme est né: la Fédération professionnelle
des journalistes du Québec, cette fois encore, sous l'impulsion des
syndicats de journalistes. En effet, lors de la disparition de
l'U.C.J.L.F. et de l'Alliance en tant qu'organismes actifs, en 1968, le
S.J.M. et le S.J.Q. ont formé un comité spécial afin d'examiner les
problèmes de représentation collective. Ce comité a donné lieu à la
naissance, en 1969, de la F.P.J.Q. La fédération a été fondée sur la
base des syndicats existants, mais elle devait inclure aussi des organisations professionnelles sectorielles et les cercles de journalistes.

La F.P.J.Q. a été fondée pour quatre raisons. D'abord, on avait
besoin d'un mécanisme pour représenter les journalistes dans l'élaboration et l'établissement d'un conseil de presse tel qu'annoncé par
le premier ministre de l'époque, Jean-Jacques Bertrand. La deuxième
raison, ou plutôt provocation, fut un discours d'Yves Michaud en
1967, sur la concentration des entreprises de presse.[17] Ce problème
avait été discuté pendant la grève à *La Presse* en 1964 et, encore plus
tard, pendant la grève à *La Tribune* de Sherbrooke. Mais ce n'est que
vers la fin des années 60 que le sujet était devenu une préoccupation
pour d'autres qu'une poignée de syndicalistes ou journalistes
intéressés aux questions professionnelles. La troisième raison était le
besoin d'un organisme à travers lequel les journalistes pourraient

---

17. Bernard Barrett, thèse de maîtrise. À l'époque, M. Michaud était député libéral. Il fut par
la suite rédacteur en chef du quotidien *Le Jour*, délégué du Québec à Paris et p.d.g. du Palais des congrès à Montréal.

bénéficier des cours et des stages offerts par divers gouvernements et organisations. Finalement, et cela avait aussi été une des raisons pour la création de l'U.C.J.L.F., il y avait le besoin d'une organisation flexible pour regrouper et représenter les journalistes de la province. Il faut noter que la F.P.J.Q., contrairement à ses prédécesseurs, inclut les journalistes anglophones du Québec. On croyait que c'était nécessaire si la Fédération voulait agir comme groupe de pression. Elle pourrait alors se vanter d'une plus grande représentativité et peut-être obtenir le statut de membre de la F.I.J. Cependant, au milieu des années 70, la F.I.J. décrétait que la F.P.J.Q. ne pouvait s'affilier puisqu'elle comptait des patrons de presse au sein de ses effectifs.

En 1972, le président de la F.P.J.Q., Claude Beauchamp, proposait que la Fédération ouvre ses portes à tous les journalistes, peu importe s'ils faisaient partie d'une organisation intermédiaire. Peut-être trop de personnes se rappelaient-elles l'histoire de l'U.C.J.L.F.: on ne donna pas suite à l'appel de M. Beauchamp.

La même année nait la Fédération nationale des communications, la F.N.C., et son président-fondateur, Laval Le Borgne, prédit la disparition de la F.P.J.Q. Il reconnaît d'ailleurs volontiers aujourd'hui avoir été un «adversaire actif» de la F.P.J.Q. jusqu'aux années 80. «On la dénonçait ou on l'ignorait», rappelle-t-il.[18]

L'héritage syndical

Mais la survivance de la F.P.J.Q. était assurée, du moins dans l'immédiat. L'U.C.J.L.F. avait cessé depuis longtemps toute activité, mais elle existait toujours en tant qu'entité légale. Moins d'un an après la fondation de la F.N.C., les membres de l'exécutif de la F.P.J.Q. ont obtenu la dissolution légale de l'U.C.J.L.F. et en même temps le transfert au compte de banque de la F.P.J.Q. d'un surplus de 30 000 $ laissé par la défunte union. Cet héritage a pu, pour quelques années, rendre la F.P.J.Q. financièrement plus indépendante des syndicats qui la financent. Deuxièmement, les structures du Conseil de presse nécessitent l'existence de la fédération. Lors de sa création, on stipulait que

---

18. Laval Le Borgne, entrevue avec François Demers, le 23 avril 1987.

les membres du Conseil devaient provenir de trois secteurs: le public, les entreprises de presse et les journalistes. Il est de plus précisé que ces derniers seront nommés par la F.P.J.Q. La disparition de la fédération nécessiterait une révision de la loi créant le Conseil.

Depuis, les deux fédérations coexistent tant bien que mal. En avril 1978, Lysiane Gagnon demandait, dans la publication officielle de la F.P.J.Q., *Le 30*, «dans quelle mesure assiste-t-on à la renaissance de ce que Gilles Gariépy (fondateur de la F.P.J.Q.) appelle la vieille tradition ecclésiastique de la C.S.N. — hors de l'église point de salut?»[19]

Par contre, à peine un an plus tard, les dirigeants des deux fédérations affirmaient que les relations entre elles étaient bonnes et harmonieuses. Ce qui était toujours le cas au printemps 1987 alors que les deux fédérations revendiquaient de concert la tenue d'une commission parlementaire à propos de la vente des journaux de Jacques Francœur (Unimédia) à Conrad Black (Hollinger).

Mais la dépendance de la F.P.J.Q. à l'égard des syndicats est toujours aussi grande. L'argent hérité de l'U.C.J.L.F. est depuis longtemps dépensé et 80 pour cent des cotisants de la F.P.J.Q. sont syndiqués.

---

19. GAGNON, Lysiane, «La F.P.J.Q. est née d'une vaste consultation à la base», *Le 30*, vol. 2, no. 4, 1978, p. 13.

Hors-texte 5

Structure de la C.S.N.

«La C.S.N. compte actuellement 225 000 membres, soit environ le quart de tous les syndiqués québécois. Deux autres organisations sont également très présentes au Québec: la Fédération des Travailleurs du Québec (F.T.Q.) représente environ 300 000 travailleurs membres de syndicats américains et canadiens, et la Centrale de l'Enseignement du Québec (C.E.Q.) qui regroupe près de 85 000 travailleurs du secteur de l'éducation.

«Pour compléter ce tableau de l'effectif syndical au Québec, il nous faut encore ajouter près de 200 000 travailleurs membres de syndicats américains ou canadiens non affiliés à la F.T.Q. et 200 000 membres de syndicats québécois non affiliés à une centrale. Enfin, la Centrale des Syndicats Démocratiques (C.S.D.) regroupe environ 30 000 membres.» [20]

«À la C.S.N., un syndicat est solidaire parce qu'en même temps qu'il reste maître de son action, il s'associe étroitement à d'autres groupes de travailleurs. Les fédérations sont une des manifestations de cette solidarité qui unit les syndiqués de la C.S.N. au-delà du cadre de leur entreprise ou de leur milieu de travail respectif. Elles regroupent tous les syndicats de la centrale qui appartiennent au même secteur d'activité.

«Il y a neuf fédérations à la C.S.N.: Fédération des affaires sociales, Fédération du commerce, Fédération nationale des communications, C.S.N.-Construction, Fédération nationale des enseignants et enseignantes du Québec, Fédération des professionnels salariés et cadres du Québec, Fédération des Syndicats des mines, de la métallurgie et des produits chimiques, Fédération des travailleurs du papier et de la forêt et Fédération des employés de services publics.

«Chaque syndicat délègue, selon ses effectifs, un ou plusieurs de ses membres pour le représenter au sein de sa fédération. Et c'est l'assemblée de tous ces délégués qui dirige la fédération. Celle-ci appartient donc entièrement aux syndicats qui la composent.

«Les fédérations ont comme rôle, premièrement de mettre à la disposition de leurs syndicats affiliés tous les services requis en matière de négo-

20. Brochure «La C.S.N., mouvement et organisation», Centre de documentation de la C.S.N., 1985, p. 34.

ciation et d'application de convention collective. Elles assurent aussi la formation syndicale.» [21]

«Les syndicats constituent les cellules de base de la C.S.N. Il y a environ 1 800 affiliés à la centrale. Mises à part certaines circonstances exceptionnelles, chaque syndicat regroupe les travailleurs d'un même établissement.

«À la C.S.N., chaque syndicat est autonome. C'est lui et non la centrale qui détient son accréditation, décide de ses statuts et de son affiliation, adopte son budget, procède à l'élection de ses officiers et de ses délégués aux diverses instances du mouvement, décide de sa convention collective, de la marche de ses négociations, de ses moyens d'actions, y compris la grève.

«Dire qu'un syndicat est autonome c'est dire que son assemblée générale est souveraine. C'est elle qui a le pouvoir de décider de tout ce qui concerne le fonctionnement et l'action du syndicat dans son milieu de travail.» [22]

«Chaque syndicat local affilié à la F.N.C. est autonome. Il possède lui-même son certificat d'accréditation. (Le certificat d'accréditation est la reconnaissance qui consacre l'existence du syndicat aux yeux de la loi et qui permet de négocier une convention collective).

«Le fait de détenir eux-mêmes ce «certificat d'existence» garantit aux membres le contrôle total sur les orientations et les actions de leur syndicat, contrairement à d'autres centrales ou unions où le certificat d'accréditation appartient au bureau-chef de l'union plutôt qu'aux membres.

«C'est ainsi qu'à la F.N.C.-C.S.N., ce sont les membres du syndicat local, réunis en assemblée générale, qui exercent exclusivement les pouvoirs suivants: décider du contenu du projet de convention collective (les «demandes syndicales»); décider des compromis à faire ou ne pas faire en cours de négociations; accepter ou refuser les offres patronales; décider de faire la grève ou non; élire leurs officiers, leurs négociateurs-trices, leurs déléguée-e-s aux diverses réunions de la C.S.N. et de la F.N.C.; fixer le taux de la cotisation locale et décider des dépenses auxquelles elle sera consacrée; décider de son affiliation syndicale.» [23]

«À partir de ses bureaux de Montréal, Québec et Chicoutimi, la F.N.C. offre à ses syndicats affiliés, partout à travers la province, les services suivants: soutien technique lors de la préparation de projet de convention collective (les «demandes syndicales»); soutien technique pour la négociation

---

21. Idem, pp. 44-46.
22. Idem, p. 40.
23. Brochure «La Fédération Nationale des Communications, F.N.C.-C.S.N.», pp. 6-7.

comme telle de la convention collective; sessions de formation spéciales sur l'interprétation des conventions collectives et sur la rédaction des griefs; présence d'un-e conseiller-e syndical-e et pour agir à titre de procureur lors d'arbitrages de griefs; compilation et confection de tableaux comparatifs des conventions collectives (par ordinateur) de façon à permettre aux syndicats affiliés de connaître rapidement le contenu des contrats de travail dans leur genre d'entreprise; publication régulière du journal de la F.N.C. *La Dépêche*, disponible pour tous les membres; affectation d'un avocat du service juridique de la C.S.N. lorsque la situation l'exige; présentation de mémoires et interventions partout où les intérêts des membres de la F.N.C. sont en cause: Sommets économiques (sur la culture, sur les communications, etc.), Conseil de la radiodiffusion et des télécommunications canadiennes (C.R.T.C.), Conseil canadien des relations de travail (C.C.R.T.), Conseil de presse du Québec, Comité permanent de la culture et des communications (Ottawa), Conférence canadienne des arts, Commission canadienne de l'U.N.E.S.C.O., divers organismes s'occupant de la qualité de l'information, etc.»[24]

---

24. Idem, pp. 12-13.

Chapitre V

L'épouvantail à patrons

Lors de la fondation de la F.N.C. le 17 novembre 1972, la C.S.N. sortait d'une période agitée. La grève des 250 000 travailleurs du Front commun au printemps, entraînant l'adoption de lois «matraques» et l'emprisonnement des trois chefs syndicaux, la scission à la C.S.N. donnant naissance à la C.S.D. en juin et le départ des 35 000 membres du Syndicat de la fonction publique du Québec de la centrale en septembre auraient pu en différer la création.

Malgré les nombreuses hésitations formulées par les responsables de la centrale, la F.N.C. vit le jour avec 1 200 membres (alors que les critères informels de la C.S.N. en exigeaient 5 000) respectant ainsi le désir de la poignée de syndicats qui voulaient créer «un instrument de lutte capable de défendre et promouvoir leurs intérêts».[1] En fait, pendant les deux premières années, en raison du grand nombre de petites unités qu'elle rassemble, unités d'ailleurs dispersées à travers toute la province et dont les conventions collectives arrivent pour la plupart à échéance, la nouvelle fédération doit canaliser toutes ses énergies dans des services d'assistance technique à ses affiliés.

Elle devient rapidement une fédération de services qui ne possède ni les ressources humaines ni les ressources financières nécessaires pour développer une analyse des grands dossiers. Son action quotidienne auprès de ses membres et l'utilisation systématique des membres de l'exécutif comme conseillers syndicaux empêchent l'étude approfondie de plusieurs dossiers et l'élaboration de politiques d'action concertées.

---

1. Rapport de l'exécutif, 8e congrès F.N.C., 1980, p. 6.

Le journal des grévistes de *La Presse*, 1971.

Très tôt, plusieurs membres se montrent déçus de la faible performance de la F.N.C. en tant qu'animateur des grands débats intellectuels qui agitent le milieu ou en tant qu'instrument de lobby et de relations publiques au profit des journalistes. D'autres se montrent satisfaits du partage informel du travail entre la F.P.J.Q. qui se charge de fréquenter les salons et de jaser pendant que la F.N.C. fait la cuisine et gagne la croûte.

La F.N.C. parvient quand même à produire deux documents d'orientation relatifs au débat sur la concentration des entreprises de presse qui fait rage depuis la fin des années 60.

L'un de ces deux textes daté de 1973 est intitulé, dans le style martial de l'époque: «L'information au service de la classe dominante». Il a été rédigé par André Dalcourt, journaliste au *Journal de Montréal* et militant syndical qui jouera un rôle important à la F.N.C. et à la C.S.N. tout au long de la décennie 70. M. Dalcourt produira, en juin 1975, pour le compte de la F.N.C. une version remaniée du texte de 1973, intitulé cette fois: «L'information au service des patrons».[2] Sur la dynamique: «Les boss contrôlent les médias, les profits contrôlent les boss, la publicité contrôle les profits, d'autres boss contrôlent la publicité, les boss contrôlent les boss. C'EST UN SYSTÈME.»[3] Il fut longtemps considéré comme l'étendard de la pensée de la F.N.C. sur l'information, un signe de rupture avec l'analyse proposée par la F.P.J.Q. et une proclamation que la F.N.C. se préoccupait elle aussi de questions professionnelles.[4]

Première lutte de la F.N.C.

Mais c'est le dur conflit chez CKRS en 1973 qui va vraiment mettre la nouvelle fédération «sur la mappe». Elle s'y voit entraînée dans une lutte frontale avec l'Association des radiodiffuseurs de langue

---

2. DALCOURT, André, «L'information au service des patrons», F.N.C., 1975, 32 p.
3. Idem, p. 22.
4. Maurice Amram, entrevue avec François Demers, le 22 avril 1987.

française qui craint que ne se crée au Saguenay-Lac-St-Jean un «pattern» pour la radio et la télévision. Ainsi soutenus, les patrons de Radio-Saguenay ltée., propriétaire de la station de radio-télévision CKRS de Jonquière, déclenchent le 19 janvier 1973 un lock-out contre leurs 43 employé-e-s et font impunément fonctionner la station avec des «scabs» pendant les 10 mois de la durée du conflit. [5]

Celui-ci, marqué par quelques incidents violents, allié au ton militant des déclarations publiques des dirigeants syndicaux, va construire pour la F.N.C. une image publique de «jusqu'au-boutisme» dont elle conservera les traits principaux tout au long de la décennie. À l'échelle du Saguenay-Lac-St-Jean, cette victoire retentissante sera le point de départ de la syndicalisation à 100 pour cent des médias de la région avec la F.N.C. [6]

Par ailleurs, le front commun des patrons des médias électroniques à CKRS va pousser la F.N.C. en direction d'un projet de négociations sectorielles qu'elle avance la même année. Elle se rendra cependant vite compte que cet instrument de coordination est inutilisable dans les secteurs où elle est minoritaire, comme la radio, l'imprimerie et la télévision.

Précarité financière

CKRS et les autres conflits de cette période vont aussi agir comme révélateurs de la fragilité financière de la Fédération. C'est en partie pour y remédier que le secteur de l'imprimerie commerciale va être intégré à la F.N.C. au cours de l'été 1973. Il y a là comme une ironie du sort: la défunte Fédération canadienne de l'imprimerie et de l'information (F.C.I.I.) qui avait servi de rampe de lancement à la F.N.C. était contrôlée par les imprimeurs. Ceux-ci, après une période d'er-

---

5.   BERBERI, Gabriel, «Délégués du (sic) FNC — Geste de solidarité aux (sic) syndiqués de CKRS», *Le Soleil*, 5 juin 1973; et BERBERI, Gabriel, «Assemblée des délégués de la F.N.C. — Une crise majeure se développe dans le monde de l'information au Québec», *Le Soleil*, 6 juin 1973.
6.   Les témoignages concordent à ce sujet. Notamment, René Thibodeau, trésorier de la fédération, dans une entrevue accordée à François Demers le 22 avril 1987 et Laval Le Borgne, l'ex-président, dans l'entrevue du 23 avril 1987.

rance, finissaient par s'intégrer à une fédération politiquement contrôlée par les journalistes, leurs ex-protégés!

Sur papier, cette intégration est réalisée à partir des conditions posées par les imprimeurs. Sur papier toujours, elle correspond à un nouveau départ pour eux car depuis la dissolution de la F.C.I.I. en 1971, le secteur n'a pas cessé de se détériorer. Ses structures d'encadrement disparues, l'imprimerie recherche une cohésion et un dynamisme syndical lourdement hypothéqués par des querelles intestines entre les responsables.

L'arrivée des imprimeurs au sein de la F.N.C. donne l'opportunité au secteur de souffler et peut-être de se rebâtir, et à la Fédération, celle de doubler ses effectifs et d'élargir sa juridiction. Les imprimeurs et la Fédération ratifient une entente de services permettant au nouveau secteur de détenir une position privilégiée. Ni pour l'un ni pour l'autre, il n'est question de recréer une F.C.I.I.

Les conditions d'intégration portent sur une remise de .50 pour cent des cotisations mensuelles à la F.N.C. et de .25 pour cent au secteur de l'imprimerie. Pour le Syndicat de l'imprimerie de Québec, deux clauses supplémentaires: premièrement, que les cotisations mensuelles soient fixées à 1.75 $ par membre jusqu'à la renégociation de leur convention collective et que deuxièmement, un conseiller syndical de la fédération soit rattaché directement aux dossiers des syndicats de Québec et de la région de l'Est. Toutes ces conditions ayant été acceptées, la F.N.C. et le secteur de l'imprimerie procèdent au cours des mois suivants à l'aménagement des structures de fonctionnement indispensables à leurs activités respectives.

Les imprimeurs repartent

Mais le raccommodage ne tient pas longtemps. Au début de l'automne 1974, de nombreux malaises affectent les relations entre la F.N.C. et le secteur de l'imprimerie. Plusieurs syndicats de l'imprimerie estiment manquer de services et ont le sentiment très net de ne pas appartenir à la F.N.C. à part entière. En outre, le Syndicat de l'imprimerie de Québec refuse de verser ses cotisations syndicales à la fédération sous le prétexte que la F.N.C. n'a pas envoyé de conseiller à Québec et dans l'Est tel que convenu au moment de son adhésion. Pour sa part, la F.N.C. maintient qu'elle a tout fait en son pouvoir pour permettre une intégration complète du secteur. Dans le cas de Québec, explique-t-on, elle n'a pu remplir ses engagements car les nombreux dossiers de négociation à travers toute la fédération l'en ont empêchée.

Suivent diverses manœuvres d'apaisement de la part de la F.N.C. jusqu'au troisième congrès de la Fédération en février 1975 qui ne réussira pas à faire taire les récriminations des imprimeurs. Finalement, un an plus tard, en février 1976, le bureau fédéral de la F.N.C. décidait, en plein accord avec la C.S.N., d'exclure le secteur de l'imprimerie de sa juridiction. Cette mesure extrême avait été rendue nécessaire par la dégradation rapide des rapports entre la F.N.C. et les imprimeurs. Mais elle était aussi devenu urgente par le fait que les imprimeurs, accumulant une dette substantielle, risquaient de mettre en péril l'existence même de la fédération. Ainsi, ils la forcèrent à hausser sa cotisation syndicale à 0.7 pour cent pour l'ensemble des syndicats, un niveau supérieur à tout autre à la C.S.N...

Pour éviter à l'avenir de telles mésaventures avec d'autres secteurs, le congrès de 1977 de la F.N.C. entérinera une résolution «interdisant d'accorder tout statut particulier à quelque secteur et syndicat que ce soit».[7] Quant à la dette laissée par les imprimeurs, son remboursement final ne sera effectué qu'en 1980.

En attendant, au début de 1976, la F.N.C. plonge dans une grave crise financière. Les six derniers mois de 1975 n'ont rapporté que de maigres revenus puisque seulement 600 membres sur 2 800 ont payé leurs cotisations syndicales, les autres étant en grève ou regroupés au sein des syndicats dissidents de l'imprimerie. Malgré son taux élevé de cotisation, la fédération n'arrive pas à stabiliser sa situation financière.

---

7. Procès-verbal du congrès de 1980, rapport de l'exécutif, p. 6.

Une victoire: un nouveau départ

L'année 1976 est marquée par un conflit victorieux à CKVL, qui va «donner de l'allant» à l'action de la fédération dans le secteur de la radio, selon l'évaluation du président de la F.N.C., Maurice Amram, qui était président de ce syndicat à ce moment-là.[8] CKVL (AM-FM), propriété de Radio-Futura, a donné naissance au premier syndicat industriel N.A.B.E.T. de la radio privée au Canada le 15 mai 1953. Devenu le Syndicat général des employés de la radio (S.G.R.), le groupe passe à la C.S.N. au début de 1966. Il sera affilié à la Fédération nationale des services publics jusqu'au congrès de fondation de la F.N.C. en 1972 auquel ses délégués participeront.

Daniel Côté, vice-président de la F.N.C., Maurice Amram, son président, et Julien Perron, l'un des conseillers, jettent un coup d'oeil à l'histoire du Syndicat général de la radio CKVL-CKOI lancée en 1983.

---

8.   Maurice Amram, entrevue avec François Demers, le 22 avril 1987.

Les 65 membres du syndicat entrent en grève le 8 mars 1976. Ils obtiennent le soutien public des trois centrales. «C'est en bonne partie par sa campagne de boycottage des commanditaires que le syndicat a réussi à remporter la lutte».[9] Cinq mois après le début du conflit, 70 pour cent des clients de CKVL avaient retiré leurs annonces. Le 11 novembre 1976, les syndiqués rentrent «triomphalement» au travail.

C'est pendant ce conflit, en mai plus précisément, que Maurice Amram est élu président de la fédération «avec le mandat de s'arrêter à la vie quotidienne». Plus précisément, le congrès lui donnera mission de réaliser quatre mandats: l'embauche d'un nouveau permanent, la négociation d'une forme de péréquation en provenance de la C.S.N., l'élargissement de la juridiction de la fédération en direction de la photographie, de l'édition et des industries culturelles en général, enfin la relance de l'organisation et du recrutement.

M. Amram n'est pas peu fier d'avoir rempli ces quatre volets de la consolidation pendant son premier mandat, de 1976 à 1980. Ainsi, le nombre des membres est passé de 1 400 à 3 200 et la péréquation a grimpé de 4 000 $ à 60 000 $ en 1978. «Aujourd'hui, elle atteint 120 000 $ sur la base de la taille des syndicats et de la dispersion géographique.»[10]

Les journalistes paient cher l'inflation

1976 correspond aussi à l'entrée en vigueur de la Loi Trudeau sur le gel des salaires. Par le biais de la Commission de lutte à l'inflation (C.L.I.), dite Commission Pépin, l'offensive gouvernementale dirigée contre les syndiqués s'appliquera avec une fermeté exemplaire dans le domaine des communications et les gains enregistrés lors de négociations antérieures, au chapitre de l'indexation salariale notamment, connaîtront un recul considérable.

Par exemple, au quotidien *La Voix de l'Est* de Granby, les travailleurs de la rédaction sont coupés de 4 pour cent en 1976 et de

---

9. F.N.C.-C.S.N, Le syndicat général de la radio — 30 ans de syndicalisme 1953-1983, mai 1983, p. 28.
10. Maurice Amram, entrevue citée.

8 pour cent en 1977 alors que les employés de bureau perdent 8 pour cent de leur augmentation de salaire pour les deux années. Au *Quotidien* du Saguenay, les syndiqués se font retrancher 10 pour cent de leur augmentation et 12 pour cent au *Journal de Montréal*. Au *Nouvelliste* de Trois-Rivières, les coupures sont de 17 pour cent en 1976, de 10 pour cent en 1977 et de 6 pour cent en 1978. «Au total, la C.L.I. a privé quelque 380 travailleurs de la F.N.C. d'environ 350 000 $ de revenus et son ombre plane encore sur les règlements intervenus en 1978 à *La Presse*, au *Montréal-Matin*, au *Journal de Montréal* et au *Soleil*.» [11]

Obligés de combattre à la fois leur patron et le gouvernement, les syndiqués de la F.N.C. exigent de plus en plus de services. Les longs et durs conflits menés pour endiguer le mouvement de recul économique lancé par le gouvernement Trudeau et repris par les patrons mettront à rude épreuve les méthodes de fonctionnement de la fédération.

Un redressement

Constatant que l'action de la F.N.C. est réduite à cause du manque de personnel, d'une situation financière précaire et surtout par le manque de temps disponible pour élaborer des politiques générales conduisant à une meilleure distribution des efforts, les délégués au congrès de mai 1976 «décident donc d'identifier des priorités à court et à moyen termes afin de corriger une situation devenue intenable». [12]

À court terme, les délégués conviennent de mettre sur pied des sessions de formation pour les militants. Ainsi, le congrès réaffirme l'importance de ces sessions pour favoriser l'intervention des syndiqués dans leur unité respective et dans leur région, allégeant de la sorte le travail des permanents et des élus de la fédération.

De plus, le congrès approuve la création d'un fonds spécial pour les petites unités afin de leur permettre de défrayer les coûts entourant la participation aux différentes instances et donc d'être à même

---

11. Procès-verbal, bureau fédéral mars 1979, doc. «Bilan des annéesTrudeau», p. 47.
12. Procès-verbal du congrès de 1976, «rapport de l'exécutif», p. 7.

d'avoir une vie syndicale plus active et d'être représentées partout au même titre que les syndicats plus riches. Pour assurer l'expansion de la fédération et aussi stabiliser sa situation financière, le congrès décide d'élargir sa juridiction en direction des secteurs de l'édition, de la photographie, du cinéma, de la musique et des salles de spectacles; en somme, à tout le domaine des communications. Très tôt, cette décision fera sentir ses effets positifs: 500 nouveaux membres en moins d'un an.

Par contre, en matière de négociation sectorielle, c'est le repli. Les délégués en rejettent carrément le principe car ils craignent de voir brimer leur autonomie et de se faire imposer des objectifs auxquels leurs membres ne s'identifieraient pas nécessairement.[13] En remplacement de cette politique, les délégués suggèrent de former un comité chargé de préparer un tableau comparatif des conventions collectives en vigueur dans le secteur des quotidiens sur la base du format «en 12 chapitres» dont la fédération fait la promotion depuis 1972.[14] Cette initiative permettra aux syndicats, dont les conventions arrivent à terme à la fin de 1976 et au début de 1977, d'établir une stratégie commune de négociations tout en leur laissant le loisir de négocier des clauses particulières.

Concertation

La formule est taillée sur mesure pour la négociation dans les quotidiens. Ainsi, le 10 décembre 1976, les représentants des syndicats du *Devoir*, de *La Presse*, du *Montréal-Matin*, du *Journal de Montréal* et du *Soleil* de Québec se rencontrent pour définir leurs demandes syndicales.

De cette première rencontre, il ressort que:

«les journalistes de tous les quotidiens, hormis peut-être ceux du *Journal de Montréal*, ont décidé de se concerter de façon très serrée pour contrer les effets néfastes de la concentration de presse. Ils ont décidé de s'unir pour tuer dans l'œuf la naissance de type «Syndica-

---

13. Procès-verbal du congrès de novembre 1980, «Les politiques de négociations», p. 7.
14. Depuis 1980, ce travail est accompli par ordinateur à l'aide d'un logiciel développé à cette fin spécifique par la C.S.N. et à la demande de la F.N.C.

ted Press», l'apparition de «chroniqueurs» écrivant pour une chaîne de journaux, la généralisation du recours aux collaborateurs et la vente ou l'achat de textes non syndiqués. Là-dessus, ils auront des revendications similaires, voire identiques.»[15]

À *La Presse*, les syndiqués ont reformé leur Front commun avec les syndicats F.T.Q. et présentent une vingtaine de revendications communes. De plus, les journalistes de *La Presse* et du *Montréal-Matin* faisant face au même employeur «vont présenter des demandes quasi identiques, tout en luttant contre la fusion des salles de rédaction».[16]

Pour leur part, les employés de bureau de *La Presse*, du *Soleil* et du *Journal de Montréal* ont planifié des revendications salariales basées sur un salaire minimum de 190 $ par semaine. L'évaluation des dossiers de négociation fait ressortir qu'un effort particulier doit être fourni en ce qui concerne les employés de bureau dans tous les quotidiens.

Plus de la moitié des conventions collectives arrivent à terme en 1977. S'amorcent alors des luttes acharnées menées par les syndiqués pour défendre leurs droits. Dans tous les secteurs de la F.N.C., les conflits éclatent: grèves, lock-out, fermetures d'entreprises deviennent soudainement monnaie courante. Contrairement aux attentes, ce sont les patrons qui passent à l'offensive un peu partout.

Momentanément, les résolutions du 4e congrès sont mises de côté. L'action de la F.N.C. se porte exclusivement sur la défense des intérêts de ses membres dont la moitié se retrouve «sur le trottoir» en même temps.

Les pigistes et occasionnels

D'un autre côté, les efforts d'organisation syndicale dans le secteur culturel entraînent bientôt la F.N.C. à se pencher très sérieusement sur le phénomène des «pigistes» ou des occasionnels, qui se répand même dans des secteurs traditionnellement réservés aux per-

---

15. Procès-verbal, bureau fédéral des 25 et 26 février 1977, «rapport de services», p. 1.
16. Idem, p. 1.

manents. En 1978, les occasionnels prennent de plus en plus d'importance et les conventions collectives couvrent mal ce nouveau type de travailleurs. La crise économique et les nouveaux modes de gestion et d'administration utilisés par les entreprises favorisent l'intégration des pigistes à l'intérieur des cadres des compagnies. D'ailleurs, dès 1978, 30 pour cent de la production économique est réalisée par le travail des occasionnels.

Les pigistes sont mal rémunérés et leurs conditions de travail sont déplorables. De plus, l'utilisation d'occasionnels freine la syndicalisation et représente pour plusieurs syndicats des pertes considérables autant en termes de croissance des effectifs qu'au niveau de l'amélioration de leurs conditions de travail. Dans le domaine des communications, le travail des occasionnels renforce l'individualisme et redonne vigueur au mythe de la vedette de l'information. L'année 1978 est déterminante en ce sens pour deux syndicats de la F.N.C.: le Syndicat national du cinéma (S.N.C.) et le Syndicat des travailleurs de la musique au Québec (S.T.M.Q.). Regroupant 300 pigistes, ces deux syndicats nouvellement créés ont à se débattre contre des organisations rivales et des patrons anti-syndicaux. «Il en va de la réussite ou de l'échec de la percée de la F.N.C. dans un nouveau secteur des communications exclusivement constitué de pigistes.»[17] Aujourd'hui, il faut conclure que les efforts en ce sens sont demeurés vains: le S.N.C. a quitté la F.N.C. et le S.T.M.Q. a été dissous.

Radiomutuel: un échec

Mais ce ne sera pas le seul échec. Il y aura aussi le très dur conflit à CJMS où tout ce qui sera conquis, c'est le droit à la syndicalisation. Ce qui n'est pas rien: il aura fallu pas moins de huit tentatives de syndicalisation et 20 mois de grève avant qu'une première convention collective ne soit obtenue...

L'affaire commence le 26 janvier 1977 quand les syndiqués des postes de radio CJMS (Montréal), CKMF-FM (Montréal) et CJRS (Sherbrooke), tous propriété de Radiomutuel, s'affilient à la C.S.N.

---

17. Procès-verbal, bureau fédéral de février 1978, «rapport de l'exécutif», p. 15.

Quelques jours plus tard, ils sont forcés de déclencher la grève pour protester contre le congédiement de cinq salariés pour activités syndicales. En février, constatant le refus de Radiomutuel de reconnaître leurs syndicats et après que l'employeur ait engagé des «scabs», les grévistes annoncent qu'ils ne retourneront pas au travail tant qu'ils n'auront pas conclu une première convention collective. Le mouvement s'amplifie et le 3 février, deux autres stations de Radiomutuel, CJTR (Trois-Rivières) et CJRP (Québec), emboîtent le pas et débraient à leur tour.

L'employeur conteste les accréditations syndicales auprès du Conseil canadien des relations de travail (C.C.R.T.). (En matière d'accréditation syndicale, les médias électroniques sont de juridiction fédérale.) La première décision du C.C.R.T., le 18 février, est de décréter «illégale» la grève des syndicats C.S.N. de Radiomutuel. Côté accréditations, le Conseil reconnaît les syndicats de CJRS et de CJTR, de Radiodiffusion Mutuelle et celui des courriéristes parlementaires car la C.S.N. y détient des majorités écrasantes. Cependant, le Conseil refuse de reconnaître les syndicats de CKMF et de CJMS sans passer auparavant par un vote d'allégeance syndicale.

Le cas de CKMF est rapidement réglé car les grévistes abandonnent la partie aux mains de l'employeur, suivant en cela l'exemple des travailleurs du poste d'Ottawa qui sont regroupés au sein d'un syndicat de boutique après un vote décrété par le C.C.R.T. Par contre, à CJMS, tête de réseau de Radiomutuel, les travailleurs, malgré la présence des scabs lors du vote, obtiennent 61 pour cent des suffrages en faveur de la C.S.N. Le C.C.R.T. est donc tenu de reconnaître officiellement le syndicat le 9 mai 1977.

Les négociations reprennent mais sans succès «à cause de la mauvaise foi de l'employeur (dénoncée dans le rapport du médiateur spécial, M. Roland Doucet) et de sa décision bien arrêtée de ne pas conclure d'entente avec un vrai syndicat»[18] et le dossier traîne durant toute une année sans résultat. Radiomutuel continue d'employer des scabs dans ses stations en grève et de son côté, le C.C.R.T. ne prend aucune mesure concrète pour régler le conflit. De telle sorte qu'au mois de mai 1978, un an après la reconnaissance syndicale, le syndicat à CJMS se retrouve en pleine période de maraudage. Les délais dans la négociation permettent aux scabs à l'emploi de CJMS de dépo-

---

18. Procès-verbal du congrès1979, «Bilan des années Trudeau», p. 5.

ser une demande d'accréditation pour un syndicat de boutique. Les grévistes reprennent une fois de plus la bataille de la reconnaissance syndicale devant le C.C.R.T. et une fois de plus, la C.S.N. l'emporte.

D'autre part, les quatre syndicats en grève de Radiomutuel entreprennent une campagne de sensibilisation auprès de l'opinion publique pour dénoncer les manœuvres patronales contre les syndiqués de CJMS et pour accélérer le processus d'arbitrage récemment accordé par la loi C-8 au C.C.R.T. Le Conseil finit par décréter l'arbitrage d'une première convention collective.

C'est la première fois en 1978 qu'un conflit sera soumis à l'arbitrage au niveau fédéral, malgré un important lobbying de la part des radiodiffuseurs et des banques au printemps 1978 pour éviter que la nouvelle loi C-8 soit mise en application dans ce conflit. Le 15 août 1978, les audiences publiques du conseil d'arbitrage débutent et portent principalement sur six points: les salaires, l'ancienneté, le problème des employés à temps partiel et des surnuméraires, les clauses de griefs et d'arbitrage et sur le protocole de retour au travail.

Finalement, le premier novembre1978, le Conseil rend sa décision qui reprend presqu'intégralement les demandes patronales. Les syndiqués «se retrouvent avec des salaires pourris, avec des vacances trop courtes, avec des horaires de travail inacceptables. Ils n'ont droit à aucune protection dans l'exercice de leur métier et, surtout, ils se retrouvent sans aucune sécurité d'emploi». [19]

Après 22 mois de conflit, les travailleurs de Radiomutuel ne sont pas plus protégés qu'avant par la convention collective préparée par le C.C.R.T. Ils se retrouvent même avec moins de droits garantis. D'autre part, tout au long du conflit, le Conseil de la radiodiffusion et des télécommunications canadiennes (C.R.T.C.) n'est jamais intervenu pour empêcher Radiomutuel de diffuser ses émissions même si l'entreprise ne respectait pas les conditions rattachées au permis émis par cet organisme.

Dans une entrevue, le président de la F.N.C., Maurice Amram, fera allusion à des «erreurs» qui auraient été commises dans ce conflit, sans préciser davantage. Celles-ci expliqueraient en partie que, malgré les efforts et les fonds investis — un million et demi de dollars du fonds de défense professionnelle (F.D.P.) — les syndiqués de CJMS ont été facilement séduits, peu après le conflit, par «une en-

19. Idem, p. 8.

tente de services à rabais» du Syndicat canadien de la fonction publique (S.C.F.P.). [20]

Autre drame, la fermeture du *Montréal-Matin*, qui est annoncée quelques mois après l'éclatante victoire remportée aux côtés des syndiqués de *La Presse*, un conflit qui avait duré du 4 octobre 1977 au 4 mai 1978. Six mois plus tard, à la veille des fêtes en 1978, Power Corporation annonce son intention de fermer le quotidien «conformément à une double politique: concentrer la presse au Québec afin de mieux contrôler les coûts, l'orientation et l'évolution et aussi d'augmenter le pouvoir et les profits de l'entreprise».[21] Au début des années 80, Roger D. Landry, président-éditeur de *La Presse*, qualifiera d'erreur cette décision.

Des réussites

D'autres négociations sont plus heureuses. À Radio-Québec, les travailleurs sont mis en lock-out durant sept mois avant de parvenir à un règlement satisfaisant de leur convention collective. Les objectifs de négociation sont atteints en grande partie et leurs principales demandes respectées.

Pour les journalistes des actualités et des affaires publiques de Radio-Canada à Montréal et à Québec, c'est beaucoup plus long. Ces travailleurs connaissent les mêmes difficultés de reconnaissance que les travailleurs de Radiomutuel avec le C.C.R.T. qui considère leur requête irrecevable depuis déjà six ans. L'acharnement avec lequel le C.C.R.T. refuse la reconnaissance syndicale des journalistes semble reposer sur les pressions exercées par les dirigeants de Radio-Canada et des politiciens fédéraux qui considèrent dangereuse «l'arrivée de la C.S.N. à Radio-Canada». La lutte entre les journalistes et le C.C.R.T. ne donnera pas de résultats tangibles avant 1979.

Les syndiqués de Cable TV, eux, sont mis en lock-out pendant dix mois et leur employeur tente par tous les moyens d'éliminer le syndicat. Le conflit porte essentiellement sur les mesures anti-inflation-

---

20. Maurice Amram, entrevue avec François Demers, le 22 avril 1987.
21. Procès-verbal du bureau fédéral de mars 1979, Rapport de services, p. 6.

nistes car l'employeur a coupé unilatéralement les salaires sans consulter le syndicat. La lutte menée par les syndiqués permet la renégociation de leur convention collective et surtout, la reconnaissance de leur syndicat.

Le C.E.C. (Centre éducatif et culturel) dans le domaine de l'édition traverse une grève de 21 mois qui passe par l'arbitrage de la première convention collective. Le syndicat du C.E.C. est le premier auquel la loi 45 (qui modifie le Code du Travail québécois pour permettre, entre autres, l'arbitrage de la première convention collective) est appliquée. Les résultats sont positifs et l'arbitrage en 1978 leur donne une excellente convention collective, à l'opposé de ce qui était advenu aux syndiqués de Radiomutuel, sous juridiction fédérale.

Ce dénouement heureux n'apparaît pas étranger au dynamisme exceptionnel démontré par ce petit groupe de 12 femmes en lutte. «Partout où ça pouvait brasser, elles brassaient», rappelle René Thibodeau, trésorier de la F.N.C.[22] «Elles ont même réussi à fermer *La Presse* une journée», souligne-t-il avec admiration. Aujourd'hui, le C.E.C. appartient à Québecor. Au moment du conflit, il était relié au quotidien de la rue St-Jacques puisqu'il appartenait à Power Corporation par le biais des Éditions La Presse (50 pour cent) et au groupe français Hachette (50 pour cent).

Le syndicat des employés du C.E.C. est le tout premier syndicat québécois dans le secteur de l'édition et de la librairie. Accrédité le 4 mars 1976, il entrera en grève cinq mois plus tard, le 26 août 1976. Au moment de l'accréditation, le syndicat regroupait 22 des 50 employés (y inclus les cadres) du C.E.C. Mais le combat a été mené en fait par une douzaine d'entre eux, qui ont dû «vivre courageusement» à côté des scabs après le retour au travail. [23]

Dans le domaine de la photographie, chez Etco-Photo, une grève de sept semaines est indispensable au renouvellement de la convention. Cependant, si la lutte leur accorde un bon règlement, la Commission de lutte à l'inflation (C.L.I.) leur fait subir des pertes énormes. Lors de la négociation, les salariés les mieux payés ont accepté de ne pas recevoir une augmentation élevée pour permettre aux moins bien payés de rattraper leur retard salarial. Mais, la C.L.I. s'oppose à ce principe et tous les syndiqués sont coupés uniformément,

22. René Thibodeau, entrevue avec François Demers, le 22 avril 1987.
23. René Thibodeau, entrevue citée.

Un petit syndicat affrontant l'empire Power. Les filles du C.E.C., comme on les appelait, ont eu raison du géant contrôlé par Paul Desmarais.

indépendamment de l'augmentation réelle de salaire reçue. Ainsi, tous les salariés sont tenus de rembourser la somme de 551 $ pour se conformer aux directives de l'organisme.

Pour compléter la liste des coups de main que la F.N.C. a donné à ses syndicats membres, il faudrait encore parler de nombreux autres conflits dont les moindres ne sont pas ceux qui ont frappé le secteur des journaux quotidiens. Les syndiqués de *La Presse* et de *Montréal-Matin*, qui se sont maintenus en grève pendant sept mois, ceux du *Soleil* qui sortent pendant 10 mois et demi, etc.

En résumé, la totalité des énergies de la F.N.C. est absorbée pendant cette période à faire face aux urgences, à aider les syndicats en lutte et à tenter de maintenir les finances de la Fédération à flot. Il n'y a donc pas de surprise à constater qu'au congrès de 1978, le 6e, un ensemble de mesures seront proposées pour sortir la F.N.C. de sa situation financière catastrophique. Une de celles-ci consiste à appliquer une politique de gestion plus rigoureuse. Toute prévisible et normale qu'elle soit, cette décision soulèvera des tensions entre certains élus et salariés de la fédération.

De nombreuses tentatives seront faites pour l'apaiser. Au cours des mois précédant le congrès de 79, plusieurs réunions de l'exécutif avec les salariés auront lieu pour désamorcer la crise. Ces efforts seront vains. Avec l'appui de certains syndicats et au moyen d'un artifice procédurier, des salariés tenteront, en début de congrès de renverser l'exécutif. La tentative fut un échec. Le congrès appuya clairement l'exécutif.

Plusieurs sont partis... et la fédération est sortie plus forte de sa paralysie temporaire... avec une sensibilité très vive pour la question de la démocratie interne. Selon le conseiller syndical Paul-René Fortin, employé de la F.N.C. depuis 1973 et témoin-participant des événements de 1979, c'est l'expérience de 1979 qui a forcé la F.N.C. à dégager une «politique claire de démocratisation».[24] Ainsi, pour éviter que ne se répètent des menaces semblables à l'endroit de la démocratie syndicale, l'exécutif de la F.N.C., élu au congrès de 1980, mettra de l'avant un ambitieux programme de décentralisation et de déprofessionnalisation de l'action syndicale.

---

24. Paul-René Fortin, entrevue avec François Demers, le 26 août 1987.

Chapitre VI

Face aux multinationales

Au tournant des années 80, la F.N.C. sera elle aussi ébranlée par les convulsions qui ont déchiré l'ensemble de la centrale, tel le conflit avec les permanents. Sans compter le changement d'environnement moral dans lequel évoluent la centrale et la F.N.C. et qui est résumé de la façon suivante, dans *L'Histoire du mouvement ouvrier*:

«L'action politique ouvrière de la fin des années 70 et du début des années 80 se situait dans une conjoncture difficile: aggravation de la crise économique et sociale; déception engendrée par le gouvernement du Parti Québécois; échec du «Oui» à la souveraineté du Québec lors du référendum de 1980 (auquel la plupart des organisations syndicales et populaires avaient donné leur appui, le «Non» étant généralement appuyé par le patronat et le capital) et recul des droits du Québec lors de l'adoption d'une constitution canadienne. Tout cela a créé un climat de morosité et de méfiance à l'endroit des solutions politiques jusque-là mises de l'avant et a provoqué une certaine démobilisation.»[1]

---

1. *Histoire du mouvement ouvrier au Québec: 150 ans de luttes*, coédition C.S.N. et C.E.Q., 1984, p. 300.

Remise sur pied

En un sens, le tabassage qu'a subi la F.N.C. de 1977 à 1980, i.e. explosion du nombre de conflits de travail et une remise en question du rôle des salariés, n'a pas réussi à l'ébranler sérieusement. Dès le congrès de 1980 (le 8ᵉ), l'exécutif est en mesure de proposer une relance visant à panser rapidement et efficacement les plaies récentes. D'un côté, une politique de formation des militants pour stimuler l'activité autonome de syndicats locaux et diminuer leur dépendance envers les employés de la fédération. Cette espèce de programme de décentralisation et de «déprofessionnalisation» de l'action syndicale fera en sorte que le personnel salarié de la fédération ne dépassera pas une dizaine de personnes: six conseillers syndicaux et deux secrétaires à temps plein, deux secrétaires à demi-temps et un conseiller juridique occasionnel. S'ajoutent à cette liste le président libéré à plein temps, le trésorier libéré à temps partiel et quelques membres militants libérés selon les besoins.

D'un autre côté, s'esquisse le projet d'une offensive «idéologique» auprès du grand public et par lui, auprès des membres. La proposition nᵒ 9 du rapport de l'exécutif se lisait ainsi: «Afin que la F.N.C. assume pleinement son rôle de principal représentant des travailleurs organisés des communications, le 8ᵉ congrès donne le mandat à l'exécutif d'organiser des colloques sur toutes les questions professionnelles, sociales, économiques, politiques et syndicales qui se posent dans le domaine des communications.» [2]

L'argumentation qui a conduit à cette proposition évoquait l'offensive de «l'élite bien-pensante de notre classe dirigeante» au sortir de la vague de conflits de 1977-78. En particulier: «l'article à la une de *La Presse* signé Roger Lemelin pour le lendemain du retour au travail» dans ce journal, qui attaquait «la pieuvre C.S.N.» et les «déclarations de Denise Bombardier dans sa lettre au *Devoir* sur le syndicalisme et la liberté d'information et de celles plus récentes d'Aimé Gagné, président du Conseil de presse, dénonçant l'affiliation de journalistes à la même organisation syndicale».[3]

---

2. 8ᵉ congrès, rapport de l'exécutif, p. 62.
3. Idem, p. 54.

Hors-texte 6

L'autonomie

«Il importe de préciser, que contrairement à ce que l'on croit dans bien des milieux, les syndicats affiliés à la C.S.N. sont presque totalement autonomes: aucune grève, aucun mouvement, n'y naît sous l'unique pression de la centrale. Dans les milieux de l'information, les règles de la démocratie formelle ont été, en général, assez scrupuleusement respectées; toute question de quelque importance est soumise à l'assemblée générale, et tous les votes qui portent à conséquences se prennent au scrutin secret.» *

* GAGNON, Lysiane, «Journaliste et syndiqué: le perpétuel dilemme», in. *Les journalistes*, Éditions Québec/Amérique, 1980, p. 69.

Vers 1984

Mais dans les faits, en raison précisément du nouveau climat spirituel après 1980, ni la première, ni la seconde intention ne réussira à se concrétiser vraiment avant 1984. Si on excepte bien sûr le lancement modeste en octobre 1981 du magazine *La Dépêche*, un instrument de communication et de formation interne aussi bien que de rayonnement extérieur, puis sa consolidation lente mais continue jusqu'à aujourd'hui.

Le rapport de l'exécutif au 10e congrès, tenu à Québec du 4 au 8 décembre 1984, traduit ce constat de la façon suivante: «La crise économique, les attaques soutenues du patronat, la confusion idéologique, la perte de toute perspective de changement, le chômage et les fermetures d'entreprises ont entraîné, depuis le début des années 80, une désaffectation tragique envers le mouvement syndical, un réflexe égoïste et fataliste du repli sur soi chez un nombre important de travailleurs-euses, une démobilisation quasi généralisée dans les syndicats.» [4]

Si on en croit ce document, les quatre premières années de la décennie en cours furent une lente descente aux enfers et, comme le dira le conseiller syndical Paul-René Fortin, «1984 fut le creux de la vague». [5]

Mais ce constat déprimant ne veut pas dire que tout a mal été. Ainsi, la Fédération a poursuivi sa croissance quantitative pendant la période: au début de 1983, elle comptait déjà 75 syndicats affiliés et 4 000 membres.[6] Aujourd'hui, elle compte 85 syndicats et près de

4.   10e congrès, rapport de l'exécutif intitulé «Reprendre l'offensive», p. 1.
5.   Paul-René Fortin, entrevue avec François Demers.
6.   «La F.N.C. souhaite une loi sur le cinéma qui ressemble à celle sur la langue», par Louis-Guy Lemieux, *Le Soleil*, 23 février 1983.

L'Association des techniciens de Télé-Métropole s'est jointe à la F.N.C. après avoir vécu seule six mois de conflit. L'une des manifestations les plus spectaculaires de ce groupe: une marche sur le pont Jacques-Cartier par un beau matin de 1983.

6 000 membres. Certains grands dossiers de négociation, tel l'informatisation des salles de rédaction dans les quotidiens ont été menés sans heurts majeurs. Quant au bilan financier de la fédération, il se révèle très bon.

Mais le renouvellement de plusieurs conventions a été particulièrement ardu: «lock-out de 15 mois touchant l'Association des techniciens de Télé-Métropole (A.T.T.M.), un an de lutte aux publications Québecor, lock-out de quatre mois chez Direct Film, 14 mois de conflit à CKML à Mont-Laurier, menace de fermeture et lock-out de 5 mois à CJLM-Joliette.»[7]

Par ailleurs, «En 1980-81, les journalistes de la salle des nouvelles de Radio-Canada font la grève pendant 8 mois, ceux et celles du Devoir pendant 9 semaines. Dans les deux cas, ce sont les interruptions de service les plus importantes dans l'histoire de ces médias d'information. À Radio-Canada, en plus des revendications économiques et normatives, les journalistes réclament «le droit du public à l'information» en opposition à la politique de la direction qui repose sur un droit de gérance absolue et incontestable. Au Devoir, l'enjeu est le respect des textes des journalistes, le fonctionnement du comité d'information et la nomination des cadres.»[8]

Par dessus tout, conclut le rapport au 10e congrès, ce qui avait été carrément désastreux, c'était l'effet de la crise économique sur les esprits: «L'idéologie à la base de la propagande patronale et gouvernementale a envahi les médias qui se sont simultanément dépourvus d'information et d'analyse développant des positions différentes ou alternatives.»[9] L'un des effets de la domination du point de vue patronal sur le contenu des médias, c'est que l'engagement syndical devient de plus en plus impopulaire. En conséquence, ce que l'exécutif propose, c'est de «reprendre l'offensive» sur le terrain de l'idéologie en réclamant la «démocratisation de l'information».

---

7.   10e congrès, op. cit., p. 4.
8.   RABOY, Marc, *Libérer la communication (Médias et mouvements sociaux au Québec, 1960-1980)*, Éditions Nouvelle Optique, Montréal, 1983, p. 113.
9.   10e congrès, op. cit., p. 1. N.B.: les techniciens de Télé-Métropole sont arrivés à la F.N.C. *pendant* leur conflit.

Hors-texte 7

Polémique autour d'un manoir

L'affaire du manoir Richelieu origine de la privatisation d'un établissement hôtelier dont l'acquéreur soutient qu'il n'a acheté que les édifices et non le syndicat représentant les employé-e-s. 300 personnes sont sans travail depuis cette transaction en 1986 et elles tentent, depuis ce temps, de faire reconnaître leurs droits avec l'appui de la C.S.N. Ce conflit a donné lieu à de nombreux rebondissements dont le décès du conjoint d'une des membres du syndicat en cause, lors d'une manifestation, suite à l'intervention de la Sûreté du Québec, l'arrestation de trois conseillers syndicaux accusés d'avoir posé des bombes, la révélation de l'infiltration d'un informateur policier au sein de la C.S.N. et la perquisition spectaculaire du siège de la centrale par la Sûreté du Québec.[10]

«Au lendemain de l'arrestation de permanents syndicaux soupçonnés d'avoir voulu dynamiter un patron récalcitrant, la Fédération nationale des communications (C.S.N.) a expédié une lettre à ses centaines de membres journalistes[11] (car on ne sait pas assez que la seule vraie concentration est celle de la C.S.N., qui règne dans les salles de rédaction de tous les grands quotidiens sauf deux et des stations de télévision et de radio). Que pensez-vous donc que la C.S.N. conseillait? D'être plus professionnel et rigoureux que jamais? Pas du tout. Elle demande la solidarité. Entre le respect du public et l'appartenance idéologique de l'autre, la centrale demande aux journalistes de laisser tomber leurs lecteurs».

Jean Paré, «Touche pas à mon journal», *L'Actualité*, août 1987, vol. 13, no. 8, p. 9.

---

10. N.D.L.R.
11. En fait, il s'agissait d'une lettre aux exécutifs des syndicats membres et non d'une lettre aux membres des syndicats affiliés.

Réplique de la F.N.C.

«Faisant preuve d'une malhonnêteté intellectuelle navrante, l'éditeur de *L'Actualité* affirme qu'une lettre que la Fédération nationale des communications (C.S.N.) a fait parvenir à ses syndicats affiliés, se résumait à un appel à la solidarité face à la vendetta entreprise par la Sûreté du Québec contre la C.S.N., ses dirigeants et ses salarié-e-s.

«Cette lettre, pourtant, commençait ainsi: «le terrorisme en général et la pose de bombes en particulier ne sont pas et n'ont jamais été une politique de notre centrale.

«Et c'est dans le contexte des opérations menées par la S.Q. que le président de la F.N.C. lançait «un appel au sens critique de nos membres journalistes...

«C'est vraiment faire affront à l'intelligence même des journalistes, membres ou non de syndicats affiliés à la F.N.C./C.S.N., que de les soupçonner de pratiques tendancieuses lors de la couverture des conflits de travail.

«Pour éviter une ingérence indue des directions des entreprises de presse au sein des salles de rédaction, les journalistes affilié-e-s à la F.N.C. se sont doté-e-s de clauses de conventions collectives leur assurant une certaine autonomie éditoriale. Cependant, ce sont encore les directions de salles de rédaction qui déterminent les événements à couvrir, l'espace qui leur sera consacré et le traitement qui leur conviendra; contrairement à ce que laisse entendre M. Paré.

«Là où le journaliste et son syndicat peuvent intervenir, c'est au moment où il est estimé qu'il se glisse un élément de malhonnêteté dans le traitement de la nouvelle ou qu'il est commandé de la biaiser.»

Maurice Amram, «Une campagne de désinformation», *La Dépêche*, vol. 6, no. 4, octobre 1987, p. 20.

Commentaire d'un observateur

«Je vous racontais, il n'y a pas si longtemps, l'espèce d'abasourdissement qui nous frappait, à la rédaction du SOLEIL, en apprenant les accusations de dynamitage relatives à l'affaire du Manoir. Comme je vous avais décrit, aussi, le curieux malaise de se retrouver comme journaliste syndiqué, au coeur d'une tourmente où se heurtaient policiers et syndicats, au coeur d'un orage social déclenché par le percutant cliché du photographe Benoit Gariépy (*Journal de Québec*) montrant la prise de tête policière qui a tué le manifestant Gaston Harvey.

«Le journaliste a non seulement des émotions. Il peut aussi être parent, propriétaire ou locataire, électeur, malade ou en bonne santé, patron ou employé et, aussi, syndiqué. Est-ce qu'il aura automatiquement tous ces points de vue en même temps? À un, probablement pas. Mais à plusieurs, j'imagine que oui.

«Le syndicat, bien sûr que ça peut être un bon moyen de s'asseoir sur son cul à attendre la paye et la retraite. Mais pour plein de journalistes, ça peut aussi être une bonne façon de pouvoir dire les choses sans avoir peur d'être tassé dans le coin, parce que le propriétaire de son journal voit la vie autrement ou parce que ce dernier a des chums à la Chambre de commerce qui trouvent ses écrits bien polissons et bien achalants.

«Les journalistes syndiqués doivent être pris avec un grain de sel, quand ils vous parlent de relations patronales-syndicales? Possible. Mais davantage que les journalistes patrons? Comme Jean Paré?

«Faudrait qu'on m'explique bien tranquillement et bien longtemps.»

Alain Bouchard, «Coup de pied au cul», *Le Soleil*, 6 août 1987, p. A 3.

La censure au Devoir

L'affaire Leclerc sera une bonne occasion, quelques mois plus tard, d'amorcer ce processus. La Fédération participe alors activement au débat entourant la suspension de l'éditorialiste Jean-Claude Leclerc par la direction du *Devoir*, notamment en publiant à grand tirage un numéro spécial de *La Dépêche préparé par le syndicat de la rédaction du Devoir*.

À l'intérieur de cette édition spéciale, l'exécutif de la F.N.C. signe un article où le propos central se rapporte à la nécessité du pluralisme des grands médias d'information dans notre société: «Le pluralisme dans l'expression des points de vue n'est pas un luxe, écrit la F.N.C., c'est une nécessité; c'est la condition indispensable d'une connaissance adéquate de la réalité.»[12]

L'action politique

L'intention se traduira aussi l'année suivante par une initiative à l'intérieur de la C.S.N. pour tenter, bien vainement d'ailleurs, d'obtenir que la centrale clarifie son option sur le socialisme et propose une alternative politique aux travailleurs lors du congrès spécial d'orientation de la C.S.N. qui devait avoir lieu en avril 1985. Le plaidoyer de la F.N.C. auprès de l'exécutif de la centrale dit notamment: «La crise économique, les attaques patronales et gouvernementales, le revirement total et final du P.Q. ont achevé l'œuvre d'enlisement et d'isolement des syndicats du Québec, que l'incohérence et l'insuffisance de leur action politique avaient déjà préparée. Le mouvement syndical au Québec est aujourd'hui divisé, isolé et marginalisé, ses actions les plus courageuses sont durement réprimées, son orientation combative est elle-même remise en cause. L'avenir est bloqué à tous égards.»[13]

---

12. F.N.C., «La vrai question», *La Dépêche*, numéro spécial, février 1985, p. 24. L'éditiorialiste Jean-Claude Leclerc sortira victorieux de cette aventure.
13. Les enjeux du congrès spécial d'orientation de la C.S.N., bureau fédéral spécial, 15 et 16 mars 1985, p. 9.

La première page du numéro spécial de *La Dépêche*, journal officiel de la F.N.C., consacré à l'affaire Leclerc qui a sérieusement perturbé la vie du quotidien *Le Devoir*.

Hors-texte 8

Syndicat et liberté

«Là où les journalistes sont syndiqués, l'entreprise dégage générale-ment une atmosphère de plus grande liberté professionnelle. Jouissant de la sécurité d'emploi et de clauses de protection rattachées à l'ancienneté, le journaliste est à l'abri des décisions arbitraires de congédiement. S'il est attaqué de l'extérieur du journal, devant la direction, le journaliste possède aussi, de par sa convention collective, le droit d'en être informé et le droit, si la critique doit être publiée, de faire connaître au public sa propre version des faits.

«Sous l'angle de la liberté de presse, cette situation est infiniment préférable à celle du journaliste qui œuvre dans une petite boîte non syn-diquée. Dans ce dernier cas, le journaliste est plus ou moins entièrement à la merci du bon plaisir de son patron. Ce genre de régime est, de soi, peu propice à l'épanouissement d'un climat de liberté.

«Le syndicalisme a fourni à cet égard et continue de fournir un ap-port majeur à la liberté des entreprises de presse.»[*]

[*] RYAN, Claude, «Les multiples facettes du problème», in PRUJINER, Alain et SAUVAGEAU, Florian, *«Qu'est-ce que la liberté de presse»*, Montréal, Boréal, 1986, p.21. M. Claude Ryan, ancien directeur du *Devoir*, ancien chef du Parti libéral du Québec est ministre libéral de l'Enseignement supérieur et de la Technologie.

Le seul facteur positif, la fin du flirt avec le P.Q.: «La situation politique est aujourd'hui, d'une certaine manière, clarifiée: le mouve-ment ouvrier et les syndicats en particulier ont fait avec le Parti Québécois tout le chemin qu'ils pouvaient faire ensemble, autant sur le plan économique et social que sur la question nationale. Aujour-d'hui, plus personne ne contestera que c'est fini.» [14]

Le diagnostic est à tous égards cohérent avec le passé de la fédéra-tion. Dès le début, la direction politique a affiché une extrême méfiance face au P.Q. Dans son rapport au deuxième congrès à Trois-

---

14. Idem, p. 10.

Rivières, en mars 1974, le président-fondateur Laval Le Borgne lançait: «On ne peut être en faveur du socialisme même «québécois» et en faveur du programme du P.Q. (...) Je pense que nous devons nous brancher. «Ou bedon» la C.S.N. est péquiste, «ou bedon» elle est socialiste.»[15]

D'un autre côté, cette initiative traduit la priorité de l'heure identifiée quelques mois plus tôt au 10e congrès:

«La contradiction la plus pressante à solutionner aujourd'hui est celle-ci: notre mouvement syndical a encore une orientation contestataire du système, mais est privé de toute possibilité d'action sur le seul terrrain où ses revendications et son projet de société peuvent devenir possibles et probables: le terrain politique. Ce fait bloque toute possibilité d'action politique en faveur du changement et toute perspective d'avenir par le fait même. Il explique la confusion qui s'installe dans les syndicats, la vogue des idées de droite même chez les travailleurs syndiqués, l'apathie générale, ainsi que les difficultés qu'éprouvent les centrales dans leurs relations et celles rencontrées pour mener des actions communes, de même que leurs divergences d'analyse et de choix de buts et de moyens.» [16]

En tentant de pousser l'exécutif de la centrale en direction de la politique et de l'option socialiste, la F.N.C. est cohérente à un autre titre. Dès sa création, comme le montre le discours de son président-fondateur Laval Le Borgne en 1972, la Fédération s'est située à la gauche de l'éventail politique interne de la centrale. À titre de figure politique, Le Borgne était identifié aux Michel Chartrand, Francine Lalonde, André L'Heureux et Jean-Guy Rodrigue[17] qui, au tournant des années 70, faisaient contrepoids aux 3D (Dion, Dalpé, Daigle),

---

15. 2e congrès, rapport du président, p. 3.
16. Les enjeux, op. cit., p. 10.
17. Le coloré tribun *Michel Chartrand* était alors président du conseil central de Montréal de la CSN. *Francine Lalonde* était présidente de la Fédération nationale des enseignant-e-s (F.N.E.Q.); en 1976, elle devint vice-présidente de la centrale jusqu'au congrès de 1978, alors qu'elle fut délogée de ce poste par l'extrême gauche; après 1980, elle fut successivement ministre péquiste à la condition féminine (sans être élue députée) puis candidate (défaite) à la direction du Parti Québécois lors des élections pour choisir un successeur à René Lévesque. *André L'Heureux*, alors directeur du service d'action politique de la centrale, fut élu vice-président de la centrale en même temps que Francine Lalonde; il devait démissionner de ce poste et quitter la centrale en 1980. *Jean-Guy Rodrigue*, aujourd'hui attaché aux relations internationales de l'Hydro-Québec, a été président du syndicat des professionnels du gouvernement au début des années 70 puis ministre péquiste.

futurs fondateurs de la C.S.D. La F.N.C. se revendique dès le début et encore au congrès de 1979 du «syndicalisme de masse, de classe et de combat».[18]

Les employé-es de Direct Film ont mené une dure lutte pour que des droits égaux soient reconnus à l'ensemble de leur groupe, que les gens travaillent à Montréal ou ailleurs au Québec.

Pas que des journalistes

De plus, malgré sa réputation d'être essentiellement une Fédération de journalistes, la F.N.C. a refusé dès le départ d'accepter le renfermement égoïste sur soi dont sont menacés les fédérations et syndicats mono-professionnels. Elle a opté pour le syndicalisme dit «industriel», c'est-à-dire que les syndicats locaux ont été invités à accueillir de préférence tous les genres d'employés d'une entreprise et la Fédération elle-même s'est efforcée de faire une place confortable aux syndicats formés d'autres corps professionnels que les journalistes. «Quant aux nouveaux syndicats, disait Laval Le Borgne en 1974, il faut dans la mesure du possible qu'ils soient des syndicats

---

18. Rapport de l'exécutif, 7e congrès, 1979, p. 85.

d'entreprises. Autrement dit, nous devons faire tous les efforts nécessaires pour éviter la formation de syndicats de métiers, et à l'intérieur d'une entreprise, et sur un base régionale.»[19]

Cette option était rendue plus facile par le fait qu'il existait déjà une autre fédération professionnelle (et non syndicale) de journalistes, la F.P.J.Q. qui jouait en quelque sorte le rôle de repoussoir. De plus, ce penchant pour les syndicats industriels a traversé l'histoire de la C.T.C.C. devenue C.S.N. puisque cette centrale s'est construite en grande partie par opposition aux pratiques des syndicats monoprofessionnels américains. Ainsi, ce choix de la F.N.C. s'inscrivait dans la plus authentique tradition de la C.S.N.

D'autre part, la relance de 1984-85 sur le terrain de l'idéologie évoque spontanément ce à quoi on s'attend d'un groupe comme les journalistes. Ces professionnels gagnent leur vie à l'aide du langage et de la parole publique. En grande partie, ils ont atteint de meilleurs revenus, de meilleures conditions de travail et de reconnaissance sociale depuis la dernière guerre justement en utilisant cette arme que constitue la maîtrise professionnelle de l'art du discours public.

Il convient aussi de souligner la parenté des journalistes avec les employé-e-s des secteurs public et parapublic qui ont occupé le devant de la scène tant à l'intérieur de la C.S.N. que de l'ensemble du mouvement syndical pendant les décennies 60 et 70. Or ce groupe est en repli depuis le début des années 80. Ses idéaux perdent de la résonance politique parce que la cause de l'État québécois et de l'État tout court n'a plus le vent en poupe. Le même dérapage frappe les thèmes centraux de l'activisme journalistique: la concentration des entreprises de presse et le service public. Le visage de la concentration de la propriété est resté le même dans ses grands traits jusqu'à la moitié de la décennie: chaînes de quotidiens et d'hebdos (Power, Québecor, Unimédia), chaînes de radios (Télémédia, Radiomutuel, etc.), présence déterminante de Radio-Canada et de Télé-Métropole en télévision. Tout ce beau monde se surveillant les uns les autres et agissant dans le respect de frontières implicites entre les territoires et les types de médias.

---

19. 2e congrès, op. cit., p. 6.

Concentration au profil international

Puis, ce fut la débâcle. Un vent brusque est venu de l'extérieur du cercle réduit des habitués. D'abord, un groupe périphérique au système de télévision francophone (Radio-Canada, Télé-Métropole et Radio-Québec), le groupe financier qui gravite autour de la station de télévision anglophone CFCF, dirigée par le francophone Jean Pouliot, a entrouvert la porte en 1986 sur le marché montréalais avec sa station Quatre-Saisons. Peu après, le numéro un du monde de la câblo-distribution, Vidéotron ltée., en principe étranger à la production de contenu, a franchi la frontière et s'est emparé de Télé-Métropole. Enfin, l'internationalisation de la propriété des médias a pris réalité au Québec par l'achat d'Unimédia (*Le Soleil, Le Droit, Le Quotidien*, etc.) par Hollinger, le groupe du financier Conrad Black, par ailleurs propriétaire du prestigieux *Daily Telegraph* et du *Sunday Telegraph* de Londres et de plusieurs petits journaux aux États-Unis et au Canada. De son côté, Pierre Péladeau (Québecor inc.) s'associait au Britannique Robert Maxwell pour lancer le 15 mars 1988, le quotidien *Montreal Daily News*. Ce même Robert Maxwell a annoncé en mai 1988 qu'il disposait d'une marge de crédit de deux milliards de dollars destinée à des acquisitions au Canada...

À ces changements centraux, il faudrait en ajouter d'autres (moins spectaculaires et évidents) tels le repli des médias alternatifs ou communautaires, la mutiplication des publications périodiques spécialisées, notamment en matière d'affaires et de finance, l'offensive de groupes importants dans le domaine des magazines mensuels (en particulier *Coup de pouce* de Télémédia et *Clin d'oeil* de Québecor) qui a eu pour effet de transformer en une version commerciale féminine et conservatrice, le *Châtelaine* de Maclean-Hunter, presque féministe et certainement très ouvert aux questions sociales, jusqu'à l'automne 1985, soit pendant la dizaine d'années où il a été dirigé par Francine Montpetit.

Il ne faut pas oublier non plus le fond de scène que constituent la crise économique et le réalignement du marché du travail en deux marchés séparés: celui du plein-emploi et des conditions de travail civilisées par l'action syndicale, et celui des emplois précaires (temps partiels, occasionnels, travail au noir, conventions collectives à deux niveaux de salaire, etc.) auxquels la plupart des jeunes sont condamnés et qui leur fait envier les «privilèges» des employés à plein temps «vieux et syndiqués». Chez les journalistes, cette vision se traduit par l'opposition entre, d'un côté, les salles de rédaction des grandes entreprises dans les centres urbains et dans les réseaux de médias dont les employés sont syndiqués et, de l'autre côté, l'univers de la pige et des médias régionaux largement non-syndiqués.

Bref, un ensemble de facteurs s'est graduellement mis en place et s'est conjugué pour entraîner le tout récent renversement de la problématique des médias et du journalisme. Malgré le manque de recul et l'absence de balises, ce basculement commence pourtant déjà à être pris en compte par la F.N.C. Ainsi, les 65 délégués-e-s au bureau fédéral de la F.N.C. ont donné en septembre 1987 un appui unanime à la lutte menée par les 250 membres du Syndicat des communications graphiques, local 41M (F.T.Q.), de la *Gazette*, en lock-out depuis la mi-juillet.

«La présence de deux membres d'un syndicat F.T.Q. en conflit à une instance de la F.N.C. s'inscrit dans la foulée du dernier congrès qui a manifesté clairement une volonté de resserrer les liens de solidarité avec l'ensemble des autres forces syndicales dans le domaine des communications. Ce qui arrive aux pressiers de la *Gazette* découle de la tendance du patronat québécois et canadien à importer dans le secteur des communications les méthodes brutales utilisées en Angleterre par Rupert Murdoch.» [20]

Des revendications fondamentales

La contre-offensive de la F.N.C. sur le terrain du discours public relance aussi les analyses des années 70: opposition à la concentration, insistance sur le caractère de service public de l'information, appel à l'intervention de l'État pour contrôler l'industrie et corriger les excès de son appétit effréné pour le seul profit, comme en témoigne ce compte rendu du discours du président Maurice Amram lors du congrès de décembre 1984. «À son avis, les journalistes ont souvent l'illusion d'une totale liberté d'action professionnelle alors que cette

---

20. «Appui de la F.N.C. aux grévistes», *Nouvelles CSN*, no. 264, 26 octobre 1987, p. 23.

dernière est concrètement et quotidiennement dirigée». Il a déploré le peu d'importance accordée aux revendications des groupes populaires par rapport au traitement accordé aux informations en provenance du gouvernement et du milieu des affaires. Il a mis en garde les délégués au congrès de ne pas tomber dans le piège des revendications corporatistes portant strictement sur des aspects pécuniaires et salariaux. M. Amram a constaté en partie, l'inutilité des clauses professionnelles des conventions collectives devant la détérioration des médias.»[21]

Deux ans plus tard, en novembre 1986, le 11e congrès va résumer la réactivation des thèmes traditionnels dans les revendications suivantes:

— création d'un organisme de réglementation de la presse écrite, genre C.R.T.C.;

— loi qui permettrait aux journalistes de bénéficier du droit à la protection des sources et du matériel journalistique (projet formulé une première fois en 1978);

— création dans les entreprises publiques d'un conseil consultatif d'information composé de représentants de la direction, du public et du syndicat (idée lancée sous une autre forme dans le rapport d'enquête Kent du gouvernement fédéral sur les quotidiens en 1981);

— présence de la F.N.C. au Conseil de presse du Québec;

— arrêt de la concentration des entreprises et démocratisation des médias.

Ouverture et intervention

Le redéploiement s'alimente aussi à une politique de solidarité élargie. La F.N.C. pose des gestes conjoints avec d'autres organismes, la F.P.J.Q. notamment, et tend la main à des personnages publics

---

21. «L'ouverture du 10e congrès de la F.N.C. à Québec — Selon la F.N.C.-C.S.N., le Conseil de presse n'est pas neutre», par Pierre Pelchat, *Le Soleil*, 5 décembre 1984.

(Claude Julien, Florian Sauvageau, par exemple)[22] qui, à une autre époque, auraient été tenus à distance.

Enfin, la fédération s'est ouverte sur le monde. Elle recherche des appuis face aux multinationales et à une meilleure information sur les combats menés ailleurs. Elle entend établir des relations avec l'Organisation internationale des journalistes (O.I.J.) et est devenue membre de la Fédération internationale des journalistes (F.I.J.) qui regroupe plus de 150 000 journalistes provenant d'une quarantaine de pays. D'autre part, comme les Portugais, les Suédois et les Anglais, elle souhaite une reconnaissance par la Fédération internationale des syndicats de techniciens de l'audiovisuel (F.I.S.T.A.V.).

La portée de cette reprise de l'offensive sur le terrain de l'idéologie et de la visibilité peut être illustrée par la liste (non exhaustive) suivante des interventions publiques de la Fédération après 1984:

— 13 mai 1985, devant le C.R.T.C., mémoire sur le deuxième réseau privé (projet de deuxième chaîne), avec la F.T.Q., la C.E.Q., etc.;

— 6 août 1985, présentation au groupe de travail du gouvernement du Canada sur la politique de la radiodiffusion, 55 pages;

— 24 février 1986, devant le C.R.T.C., opposition au transfert de Télé-Métropole à Power Corporation, mémoire de 29 pages;

— 12 octobre 1986, devant le C.R.T.C., opposition au transfert de Télé-Métropole à Vidéotron;

— 21 avril 1986, devant le C.R.T.C., mémoire relatif à la publication du rapport sur les stéréotypes sexuels dans les médias de la radiodiffusion: opposition à l'auto-réglementation, 30 pages (ce texte souligne entre autres que 40,9% des membres de la fédération sont des femmes);

— 9 février 1987, réaction au rapport Sauvageau-Caplan, «Un renouvellement en profondeur de la radiodiffusion au Canada»; mémoire soumis au Comité permanent de la culture et des communications de la Chambre des communes, 43 pages;

22. Claude Julien, directeur du prestigieux mensuel français *Le Monde diplomatique*, conférencier invité au 10ᵉ congrès de la F.N.C. en décembre 1984. Florian Sauvageau, professeur à l'Université Laval, journaliste pigiste, co-président du groupe de travail sur l'avenir de la télédiffusion canadienne, conférencier au 11ᵉ congrès de la F.N.C. en novembre 1986.

— 12 février 1987, devant le C.R.T.C., «L'auto-réglementation: une remise en question du droit à l'intervention»;

— 20 février 1987, devant le C.R.T.C., «L'existence de réseaux en télé-radiodiffusion doit se traduire par un accroissement des services à la disposition des auditoires», 10 pages;

— 24 octobre 1987, colloque sur les téléjournaux, organisé conjointement par le Syndicat des journalistes de Télé-Métropole (S.G.C.T.-TM), le Syndicat des journalistes de Radio-Canada (S.J.R.C.), le Syndicat de télévision Quatre-Saisons, la F.P.J.Q. et la F.N.C.

— 23 et 24 septembre 1988, colloque international sur la protection des sources et matériel journalistiques, avec le concours de la Fédération internationale des journalistes (F.I.J.).

À suivre...

Hors-texte 9

La grève de 1958 à *La Presse*, une première

Le 2 octobre 1958, pour la première fois depuis 74 ans, *La Presse* n'est pas publiée par suite d'un arrêt de travail de ses employés. Ce fut aussi le début de la première grève de journalistes au Québec.

Pour Roger Mathieu, dont la situation personnelle a été au cœur du litige, il est évident que durant les mois précédant le conflit de 1958, certains dirigeants de *La Presse* développèrent une tactique d'affrontement avec les journalistes syndiqués. «En fait, dit Mathieu, *La Presse* prévoyait déménager son nouvel immeuble (...) vers l'automne 1958. Ce déménagement impliquait, à cause de l'introduction d'une technologie plus moderne, des réorganisations dans l'emploi du personnel. C'est pourquoi, durant les mois précédents, la direction du journal voulut sonder le pouls de la solidarité syndicale, en attaquant le maillon qu'elle jugeait le plus faible des diverses unités syndicales de son entreprise, le syndicat des journalistes.»[1]

C'est dans ce climat que dès le printemps 1958, des dizaines de griefs étaient déposés par le local de *La Presse* du Syndicat des journalistes de Montréal (S.J.M.), à la suite de nombreuses interventions provocatrices de la direction contrevenant à la convention collective des journalistes. C'est aussi dans ce contexte antisyndical que dès le 22 mai 1958, Roger Mathieu fait parvenir à Léon Roberge, directeur de l'information à *La Presse*, une lettre dans laquelle il demande un congé sans solde dans l'éventualité où il serait élu au poste de président de la Confédération des travailleurs catholiques du Canada (C.T.C.C.) lors du congrès de septembre 1958.

À quelques semaines de ce congrès, Mathieu s'informe auprès de la direction de *La Presse* pour connaître sa décision concernant sa demande. À sa grand surprise, Hervé Major, le rédacteur en chef, lui répond que sa demande n'a pas encore été soumise et lui demande d'en formuler une nouvelle; Mathieu s'exécute sans retard.

---

1.   Interview de Roger Mathieu, le 16 mars 1981.

Mais le congrès de la C.T.C.C. se déroule sans que réponse lui soit donnée et le 20 septembre 1958, Mathieu est élu à la présidence de la Confédération.2 Deux jours plus tard (quatre mois après sa demande initiale), Hervé Major informe Mathieu que la direction lui refuse son congé et ne lui garantit pas, à la fin de son mandat à la C.T.C.C., de le réengager.

Le 24 septembre, Mathieu adresse à la présidente de *La Presse*, Mme Angélina Du Tremblay, un télégramme reformulant sa demande de congé sans solde; ce télégramme reste sans réponse. Mais le 26 septembre, L. Bélanger, c.a., fondé de pouvoir de Mme Du Tremblay, téléphone à Mathieu pour lui affirmer de nouveau que la décision de *La Presse* est irrévocable.

Une liberté fondamentale

Une réunion spéciale du local *La Presse* du S.J.M. fut convoquée le lundi 29 septembre, voulant souligner qu'un principe fondamental du syndicalisme, c'est-à-dire le droit des employés à déléguer leur représentant à la direction du mouvement syndical, est en jeu. Les journalistes se disent prêts à faire la grève pour que ce principe soit respecté.

Le lendemain, 30 septembre, de nouvelles démarches auprès de Major et de Bélanger sont entreprises par l'exécutif syndical. Le résultat est aussi infructueux que lors des démarches précédentes. Alors l'exécutif lance un ultimatum à Bélanger: une réponse positive pour la demande de congé sans solde présentée par Mathieu est exigée avant 15h le mercredi 1er octobre.

N'ayant reçu aucune réponse de l'administration, les membres du local *La Presse*, de nouveau réunis en assemblée le soir du 1er octobre, décident à l'unanimité d'ériger une ligne de piquetage devant l'édifice du journal, rue St-Jacques, à compter de minuit.

Dès le deuxième jour de la grève, un nouveau journal nait: *La Presse syndicale*. Les journalistes syndiqués ont décidé de mettre sur pied leur propre quotidien pour parler de ce qu'ils ont osé faire. Le «tour de force» que représente la publication de *La Presse syndicale*, dont le tirage atteignit les 100 000 exemplaires, marque le début d'une ère nouvelle dans l'information au Québec. Les lecteurs de journaux découvrent alors une information différente. Tout retour en arrière est à présent impossible.

---

2.   Dans une entrevue (87-04-23), Laval Le Borgne devait rappeler que Roger Mathieu deviendra à la fin des années 60, «le chef des censeurs» à *La Presse*. Lors du règlement du conflit de 1971, le syndicat des journalistes demandera et obtiendra sa tête. Il partira en même temps que les 42 autres cadres «vidés» par le grand patron Paul Desmarais à la suite de leur «échec».

Appuis internes et externes

Tout au long du conflit, les 1 000 employés salariés de *La Presse* respectent la ligne de piquetage des journalistes. Le Syndicat de l'industrie du journal, affilié à la C.T.C.C., est le premier à offrir son appui unanime aux journalistes de *La Presse*. Peu après vient le soutien de la Fédération des travailleurs du Québec.

Le journal *Le Devoir* du 3 octobre 1958 rapporte «qu'aucun employé n'a traversé la ligne de piquetage, malgré une vaine tentative des typographes qui se sont fait bousculer par les piqueteurs».3 En fait, les typographes respectent la ligne de piquetage des journalistes durant tout le conflit. Le premier jour, comme l'indiquait *Le Devoir*, les typos avaient demandé à l'Internationale les représentant, l'attitude qu'il convenait d'adopter dans les circonstances. L'Internationale, de son siège social situé à Minneapolis, intima l'ordre aux typographes de respecter leur contrat de travail et donc, de traverser la ligne de piquetage.

À partir de ce mot d'ordre, A. Lévesque, représentant du local des typos à *La Presse*, prend entente avec les journalistes afin que ceux-ci empêchent «symboliquement» l'entrée des typographes au travail par une petite bousculade. De cette manière, les typos sont en règle avec l'Internationale et ne vont pas non plus à l'encontre des grévistes. Ce petit manège se répète tous les jours du conflit et permet aux typos de respecter la ligne de piquetage des journalistes.

Le première journée de grève n'est pas encore terminée que la compagnie *La Presse* obtient une injonction interdisant le piquetage devant ses immeubles et entame des procédures auprès de la Commission des relations ouvrières afin d'enlever au S.J.M. son certificat d'accréditation.

La tête du rédacteur en chef

Mais les journalistes répondent à ce nouvel affront en exigeant de l'administration la résolution de tous les problèmes de gérance accumulés depuis longtemps à la salle de rédaction de *La Presse*.

Les journalistes possèdent un volumineux dossier à charge contre les responsables de la rédaction, principalement contre Hervé Major, le rédacteur en chef, qui, depuis un an surtout, adopte une ligne générale tendant à «l'écrasement des syndicats les uns après les autres».4 Ainsi, quand vient le

---

3. *Le Devoir*, 3 octobre 1958, p. 1.
4. *La Presse syndicale*, 11 octobre 1958, p. 8.

temps de signer le protocole de retour au travail après 13 jours de grève, *La Presse* doit non seulement concéder le congé sans solde de Mathieu mais elle doit aussi s'engager à entreprendre une réorganisation de la haute direction de la rédaction, en plus de rembourser les salaires perdus durant l'arrêt de travail.

La réorganisation conduit à «l'intronisation» de Jean-Louis Gagnon au poste de rédacteur en chef de *La Presse* et au début de ce que certains ont appelé «le grand déblocage du journalisme québécois».

M. Gagnon a obtenu le reconnaissance des journalistes grévistes par un témoignage de solidarité syndicale. D'autre part, il a gagné la confiance des administrateurs de *La Presse* quelques mois plus tôt, à titre de négociateur syndical lors de la négociation des contrats de travail à CKAC. Dans ce poste de radio appartenant à *La Presse*, Jean-Louis Gagnon avait formé un syndicat affilié à une union internationale plutôt qu'à la C.T.C.C. car il n'était pas nationaliste et détestait «l'esprit de confrontation» du syndicalisme national. Il avait aussi obtenu des contrats de travail plus substantiels pour les syndiqués de CKAC en échange de l'engagement du syndicat à tenir le rôle de police envers ses membres pour qu'aucun incident ne puisse nuire à la bonne entente.

ANNEXE 1

CONGRÈS DE FONDATION DE LA F.N.C.
LISTE DES PARTICIPANTS

PARTICIPANTS/APPARTENANCE SYNDICALE	FONCTION ACTUELLE
Syndicat général du cinéma et de la télévision	
Michael McAndrew	Réd. en chef, Protégez-vous (O.P.C.)
Célestin Hubert	Radio-Canada, affectateur nat., télé.
Gaétan Fortin	Radio-Canada, chef pupitre nat., télé.
Nicole Messier	Radio-Canada, réalisatrice, *Le Point*
Bob Plaskin	
Ronald Belzile	
Syndicat général de la radio (CKVL)	
Maurice Amram	Président F.N.C.
Blaise Gouin	CKVL
Jean Joncas	Retraité
Jean-Louis Vary	CKVL
Gilles Pétel	Radio-Canada, sports.

Albert Pinto   Retraité

**Syndicat des employés
de *Progrès-Dimanche***

Martha Gagnon   *La Presse*
Louiselle Tremblay   Radio-Canada, Québec

**Syndicat des employés de CHNC
(New-Carlisle)**

Marcel Leblanc

Syndicat des journalistes d'Ottawa

Pierre Allard   Cadre, *Le Droit*
André Lavoie

Syndicat des journalistes de Québec

André Dionne   *Le Soleil*, Rimouski
Claude Vaillancourt   *Le Soleil*
Georges Angers   *Le Soleil*, Montréal
Jean-Paul Gagné   Rédacteur en chef,
                                                Les Affaires
Jean Giroux   Pigiste
François Linteau   Agent d'info., M.A.P.A.Q.
Roch Desgagné   *Le Soleil*
Nelson Labrie   Cadre, *Le Soleil*

**Syndicat de l'industrie du
*Journal de Québec***

René Thibodeau   Distribution, *La Presse*
Jean-Paul Piché   Distribution, *La Presse*
André Monty   Distribution, *La Presse*
Jacques Martel   Distribution, *La Presse*

**Syndicat indépendant des journalistes
et des photographes du *Journal de Montréal***

André Dalcourt   *Journal de Montréal*

Colette Duhaime   *Le Droit*
Yves Beaudin   *Journal de Montréal*

**Syndicat national des employés
de la *Voix de l'Est***

Alain Gazaille   Cadre, *Le Soleil*
Jacques Fleury
Diane Gagné

**Syndicat des employés de CKRS
(Jonquière)**

Louis Champagne   CJMT
Huguette Arsenault   CKRS

**Syndicat national catholique
des imprimeurs de Trois-Rivières**

Réjean Lacombe   *Le Soleil*
Raynald Brière

**Syndicat des employés
du service T.O.P.**

Serge Legris   *Le Soleil*

**Syndicat général
des communications**

Jean-Pierre Paré   Service d'information C.S.N.
Laval Le Borgne   *La Presse*
Jacques Filteau   La Laurentienne
Rhéal Bercier   *La Presse*
Clément Trudel   *Le Devoir*
Gilles Léveillé   Agriculteur en Estrie
Conseil central de Sherbrooke

Laurier Cloutier   *La Presse*
Nicole Gladu
Raymond Bernatchez   *La Presse*
Gilles Monette   *Joliette Journal*

Yves Rochon	*Journal de Montréal*
Fernand Beauregard	Retraité
Jean-Louis Boyer	Photographe, *Journal de Montréal*
Louis Fournier	Fonds de solidarité F.T.Q.
Marcel Flamand	
André Béliveau	Cadre, Radio-Canada

Annexe 2
L'Esprit du temps

Discours du président fondateur de la F.N.C., Laval LeBorgne, lors du congrès de fondation, le 18 novembre 1972.

Camarades syndiqués,

La Fédération Nationale des Comunications (C.S.N.), en gestation sous diverses formes depuis bientôt trois ans, regroupe tous les syndiqués C.S.N. (d'abord) à l'emploi d'un journal, d'un poste de radio, d'un poste de télévision ou d'une entreprise cinématographique.

Pourquoi?

Que peuvent bien avoir en commun des gens exerçant mille et un métiers, de la réceptionniste-téléphoniste au journaliste, en passant par l'annonceur, l'archiviste, le commis et le distributeur de journaux?

Nous sommes d'abord et avant tout des salariés à l'emploi de conglomérats capitalistes ou politiques (ce qui revient au même) ou de roitelets régionaux ayant des intérêts similaires.

Parmi nous, nous retrouvons deux classes économiques bien distinctes: ceux qui font de bons salaires (8 000 $ à 15 000 $) et les «pauvres».

Le rôle essentiel de la Fédération nationale des communications ne peut être autre dans ces cas-là que de mettre à la diposition des «pauvres» les moyens techniques, financiers et politiques, des «nantis».

C'est là un principe fondamental de syndicalisme, une des facettes de ce phénomène syndical qui a nom «solidarité». Le mode de financement de la F.N.C. — par lequel les syndicats plus riches supportent les autres — est une des applications concrètes de ce principe.

Ce rôle essentiel doit avoir une application concrète beaucoup plus vaste. Il doit absolument s'étendre à la masse des salariés des communications qui n'est pas syndiquée. Je parle ici, entre autres, de la presse, de la radio et de la télévision régionale. La F.N.C. devra déployer des efforts énormes pour jouer efficacement ce rôle et ce, dès sa fondation. Par efforts énormes, j'entends plus précisément un engagement des militants des syndicats F.N.C. à renconter les non syndiqués, à les éduquer et à les syndiquer. De cette syndicalisation des plus mal pris devrait naître des structures syndicales régionales, qui mettront sur pied des fronts communs «inter-médias».

Les syndicats de la F.N.C. pourront alors se battre ensemble pour atteindre des conditions de travail équitables.

Et de ces différentes forces régionales pourra naître un front commun national qui permettra d'atteindre les objectifs que se sont donnés les syndicats.

La F.N.C. doit servir à tout cela. Elle doit encourager les syndicats membres à se regrouper sur une base régionale. Elle doit les aider à définir les objectifs communs, tant sur le plan régional que national.

(Elle pourrait, par exemple, se battre pour obtenir la parité des salaires, ou encore un régime de rentes contrôlé et administré par des syndicats membres. Elle pourrait aussi mettre sur pied un fonds de défense professionnelle qui complèterait celui de la C.S.N.)

Mais tout en ayant des intérêts communs quant à nos conditions de travail, en avons-nous à un autre niveau?

Je pense que oui, car il ne faut jamais oublier que nous sommes des maillons essentiels de cette vaste entreprise de conditionnement (certains disent «d'abrutissement») permanent de l'opinion publique que forment les médias modernes de communications.

Il n'est pas nécessaire d'élaborer longuement ici sur ce rôle de «conditionneur» de l'opinion publique que jouent les médias. Nous en sommes tous plus ou moins conscients.

Qu'il suffise de rappeller deux événements récents: le congrès de la C.S.N. et la naissance de la C.S.D. Dans ces deux cas-là, les médias ont donné une image, une version des faits qui ne ressemblait que très vaguement — et même pas du tout dans bien des médias — à ce que les travailleurs ont vécu et vivent encore.

Les médias ont donné l'impression que le congrès en était un de panique, de pagaille; pourtant, tous ceux qui y étaient ont vécu sept (7) jours de débats sérieux sur l'engagement politique du syndicalisme. Les médias se sont attachés au marginal et ont manqué l'essentiel.

Les médias ont aussi donné l'impression, et continuent à le faire, que tout le monde s'en allait à la C.S.D. Pourtant, ce n'est pas le cas; bien plus, ils ne font nullement mention du regain de vie syndical, du regain du militantisme et du retour vers la C.S.N.

Plus quotidiennement, nous participons directement à l'abrutissement collectif de nos concitoyens par la publicité mensongère, hypocrite, déshumanisante — en un mot «a-culturante» — que charrient nos médias.

En tant que syndiqués, pouvons-nous encore longtemps nous satisfaire de nos seuls besoins individuels?

Pouvons-nous continuer, sans rien faire, à participer au pourrissement quotidien de la société dans laquelle nous vivons?

La réponse, quant à moi, est claire et nette: les syndicats de la F.N.C. doivent combattre leurs boss capitalistes au plan culturel.

(Certains diront politique, d'autres social; moi je préfère l'étiquette «culturel».)

Cette lutte peut prendre plusieurs formes (mémoires, conférences de presse, etc.) mais la meilleure demeure encore celle de la convention collective.

Par le biais de la convention collective, on peut par exemple régler le problème de la publicité aux enfants.

Les syndicats de la F.N.C. pourraient exiger qu'aucune réclame commerciale ne soit diffusée à la télévision entre 16h et 20h du lundi au vendredi et le samedi de 8h à 19h. Les syndicats de la radio et de la télévision peuvent et doivent se battre pour abolir tout réclame commerciale de minuit samedi, à minuit dimanche. Cette suggestion peut paraître farfelue à certains, utopique à d'autres. Mais il n'en est rien puisqu'un poste FM «capitaliste» de Montréal (CHOM) applique cette politique depuis plus d'un (1) an.

Ce sera là une forme de «pollution» des ondes que la F.N.C. pourrait répandre.

Dans cette même veine réformatrice, les syndiqués des journaux devraient obtenir qu'un certain nombre de pages soient consacrées exclusivement à l'information libre de toute réclame.

Plus profondément, la F.N.C. devrait voir à ce que la parole, cet instrument primordial qui nous a été volé par les conquérants de 1760, que la parole soit redonnée aux forces vives de la nation, ne serait-ce que pour faire un peu contrepoids aux valeurs culturelles abrutissantes dont nous inondent les impérialistes nord-américains.

Nous devrions tous nous battre comme des diables dans l'eau bénite pour redonner la parole au monde ordinaire en forçant nos hosties de profiteurs de boss à accorder gratuitement de l'espace dans le journal, du temps à la radio et à la télévision.

Après tout, cet espace, ce temps, ne leur appartiennent même pas. Ils sont mis à leur diposition pour «informer, divertir et éduquer le public». Il nous faut les forcer à mettre en pratique les principes dont ils se réclament, pieusement.

Le publicité, cet élément moteur des médias et de notre lavage de cerveau continuel, doit être combattue par d'autres moyens. Nous pouvons prendre des moyens légalistes (griefs, plaintes devant les tribunaux appropriés) pour empêcher que des réclames frauduleuses ne soient diffusées.

Nous pouvons aussi utiliser la dénonciation publique de nos «bons boss» qui, pires que des putains, laissent diffuser n'importe quoi pourvu que ça rapporte (sauf de l'information évidemment, c'est dangereux et ça paye pas tellement).

Et nous pouvons surtout utiliser l'arme de tous les syndiqués du monde, de tous les pacifistes, le *refus* (de produire ces déchets), la grève.

Ce qui nous unit, nous les communicateurs, c'est donc notre participation à la production des valeurs culturelles, de l'idéologie dominante, la piasse, la carrière, le pouvoir de la minorité impérialiste et ses parasites «made in Québec».

Il nous faut choisir: continuer à être des complices silencieux, syndiqués et objectifs, de l'étouffement, de l'encrétinement, de la mort des travailleurs qui nous appuient — et qui nous appuieront encore lorsque nous sommes en grève.

Ou encore, nous mettre sérieusement au travail en nous joignant *concrètement* à la lutte ardue de libération que mène les syndiqués de la C.S.N. et d'ailleurs, ainsi que certains non-syndiqués.

Nous avons le choix de tout l'monde: la vie ou la mort, la libération de l'oppression et la peur, l'espoir et le statu quo, enfin, le syndicalisme politique et le syndicalisme d'affaires.

Quant à moi, personnellement, je n'ai déjà plus ce choix: je suis plutôt à Orsainville qu'à *La Presse*.

N.D.L.R.: À ce moment, les chefs des trois centrales syndicales venaient d'être libérés du centre de détention d'Orsainville en banlieue de Québec.

Annexe 3

Radio-Canada 1964-68, le marais «canadian»

Les cinq premières années du Syndicat général du cinéma et de la télévision (S.G.C.T.) se résument à une lutte ardue pour la reconnaissance du principe «d'unité naturelle» de négociation menée par les syndiqués québécois de Radio-Canada, relevant du Code du travail fédéral, durant la deuxième moitié des années soixante.

Son ancêtre direct, le Syndicat général du cinéma (S.G.C.) est né au printemps 1964 de la volonté de syndiquer les artisans du cinéma au Québec, tant du secteur public, Office national du film (O.N.F.), que du privé (projectionnistes, etc.).

Le 26 mars 1964, à la suite d'une assemblée générale de l' Association professionnelle des cinéastes, un comité provisoire est formé ayant pour mandat d'organiser un syndicat qui regroupe l'ensemble des artisans de cette industrie. Le président de ce comité et président-fondateur du S.G.C., Léonard Forest, définit ainsi la vocation du nouveau syndicat: «Notre but est de grouper en ce syndicat général tous les travailleurs du cinéma de la province de Québec. C'est-à-dire tous ceux pour qui le cinéma est un moyen d'expression, un métier, un gagne-pain.»[1]

Environ 150 personnes assistent à l'assemblée de fondation du S.G.C., le 25 juin 1964.

Plusieurs facteurs contribuent à la fondation du S.G.C. dont le contexte de la révolution tranquille, qui a favorisé l'essor d'un

---

[1]. Léonard Forest, «Rapport du président du comité provisoire à l'assemblée constituante du S.G.C.», le 25 juin 1964.

nouveau cinéma québécois lié aux préoccupations du nationalisme et soucieux d'identité culturelle.

La création d'un syndicat québécois s'inscrit aussi dans le cadre de la remise en question des syndicats internationaux (américains) qui dominent alors l'industrie canadienne du cinéma, une situation que plusieurs croient nuisible au développement d'un cinéma spécifiquement québécois.

Du nationalisme isolationniste?

La F.T.Q., qui regroupe plusieurs des syndicats internationaux, résiste pouce à pouce à ce mouvement, qu'elle identifie à un nationalisme isolationniste. Le directeur des relations internationales de la F.T.Q., Noël Pérusse, affirme par exemple au magazine *MacClean's*: «L'opposition au syndicalisme international qui se manifeste au Québec n'est qu'une forme du «cléricalisme» dont la province est affligée; autrefois, on s'opposait aux unions internationales au nom de la religion, maintenant, c'est au nom du nationalisme; les intellectuels bourgeois ont pris la relève des curés, mais c'est toujours le même esprit qui n'a rien à voir avec les travailleurs.»[2]

Cet argument est important dans la mesure où on le retrouvera, sous une forme ou une autre, dans la bouche de ceux qui s'opposeront, à l'intérieur du mouvement syndical, à la formation de ce qu'il sera convenu d'appeler les unités naturelles de négociation. Pour les syndicats américains, le Congrès du travail du Canada et la F.T.Q., créer des syndicats québécois à l'intérieur d'industries ou d'entreprises pancanadiennes, c'est vouloir diviser les travailleurs en fonction de barrières culturelles et ethniques étrangères au mouvement syndical.

Mais ce type de discours laisse trop souvent de côté les problèmes bien réels de la sclérose des syndicats de métiers américains qui, à partir de bureaux de direction situés à New York ou à Washington, contrôlent l'embauche dans l'industrie locale du cinéma. À l'O.N.F.,

---

2. DUMAS-GAGNON, Evelyn, «Pourquoi des unions internationales?», *Le magazine MacLean's*, novembre 1965, p. 61.

qui jouera un grand rôle dans la naissance du S.G.C., il s'agit plus simplement de la volonté de se doter d'un syndicat (ce qu'un amendement à la Loi de la fonction publique allait éventuellement permettre) et la C.S.N. leur semble être la centrale la plus appropriée.

La base: la production

Une quarantaine d'employés de Radio-Canada assistaient à l'assemblée du 24 juin 1964 où fut fondé le S.G.C. Comme l'explique Gisèle Richard, qui sera secrétaire du syndicat à Radio-Canada pour les cinq années suivantes, les employés de Radio-Canada présents viennent du secteur de la production et accomplissent un travail semblable à celui de leurs vis-à-vis de l'industrie privée du cinéma et de l'O.N.F.

Gérard Picard s'adresse aux employés de Radio-Canada à Montréal pour les inciter à adhérer au nouveau Syndicat général du cinéma et de la télévision. Derrière M. Picard, on aperçoit Maurice Sauvé, aujourd'hui juge au Tribunal du travail, et Marcel Pepin.

À la différence de ceux de l'O.N.F. cependant, les employés de Radio-Canada possèdent déjà un syndicat. *L'International Alliance of Theatrical Stage Employees and Moving Picture Machine Operators of the United States and Canada* (ouf!), ou I.A.T.S.E., qui avait obtenu dès 1953 l'accréditation représentant les employés de la production à Montréal et à Toronto. Ses locaux (sections), 878 à Montréal et 880 à Toronto, représentent environ 1 650 personnes. Par la suite, Radio-Canada élargit le champ d'accréditation de l'I.A.T.S.E. à l'ensemble de ses unités de production à travers le pays, à mesure que celles-ci sont créées, sans passer au préalable par de nouveaux votes d'allégeance.[3] Cette procédure a permis à Radio-Canada de faire signer des conventions collectives nationales qui uniformisent le versement des cotisations syndicales de tous les employés adhérant ou non au syndicat, en vertu de cette formule Rand maison.

Les relations entre l'I.A.T.S.E. et les cotisants de la société d'État semblent n'avoir jamais été bonnes. Le délégué de l'I.A.T.S.E. auprès des locaux de Radio-Canada est un ancien projectionniste de théâtre, à qui on reproche de ne pas comprendre les problèmes spécifiques de la télévision. Dès 1957, un premier mouvement de contestation s'organise; on reproche à l'I.A.T.S.E. de signer des conventions collectives à rabais. Toutefois, ce mouvement n'a pas de véritable impact et n'apporte pas de changement.

La C.S.N. établit ses premiers contacts à Radio-Canada lors de la célèbre grève des réalisateurs de 1959. Elle fournit aux réalisateurs l'appui technique nécessaire à une grève. Le droit d'association est au cœur du conflit mais la grève des réalisateurs se termine sur un compromis qui, s'il reconnait le droit d'association aux réalisateurs, leur interdit l'affiliation à une centrale syndicale. Les réalisateurs forment alors une association professionnelle sans liens avec la C.S.N.

Le conflit permet cependant à la C.S.N. d'établir des liens avec des employés de Radio-Canada de même qu'avec le milieu du spectacle québécois, qui s'est mobilisé en faveur des réalisateurs. D'où l'intérêt de la C.S.N. pour un syndicat du cinéma et de la télévision. En plus, l'ensemble des employés refusent de franchir les piquets des

---

3.   Ces renseignements et ceux qui suivent sur l'I.A.T.S.E. sont tirés d'un article d'Evelyn Dumas, «Un sigle symbolise le malaise syndical à Radio-Canada: I.A.T.S.E.», *Le Devoir*, 8 février 1966; et du mémoire soumis par la C.S.N. à la commission parlementaire fédérale sur le bill C-186 présenté en février 1968, 16 pages.

réalisateurs tout au long de la grève, ce qui ajoute au mécontentement contre l'I.A.T.S.E., qui a dénoncé cet appui.

Contestation de l'I.A.T.S.E.

À partir de ces événements, au début des années soixante, deux processus parallèles de contestation de l'I.A.T.S.E. se mettent en branle à Radio-Canada.

D'un côté, la direction du local montréalais de l'I.A.T.S.E. (le 878) tente d'obtenir une plus grande autonomie, particulièrement au niveau de la négociation de la convention collective. Le caractère «national» de ce processus cause beaucoup de frustration chez les membres. En mai 1964, les membres du local 878 ont décidé en assemblée générale de déposer devant le C.C.R.O. (Conseil canadien des relations ouvrières) une requête demandant une accréditation séparée du local 878 de l'I.A.T.S.E., afin de pouvoir négocier avec la direction québécoise de Radio-Canada une convention pour les employés du Québec seulement. (Le C.C.R.O. est un organisme formé d'un président et de huit commissaires, quatre représentant le patronat et quatre les syndicats: trois pour le C.T.C. et un pour la C.S.N. Ce déséquilibre sera au cœur de la crise qui suivra.) La requête est soumise par la direction syndicale le 4 juin suivant.

En parallèle, un groupe d'employés de la production assiste à l'assemblée de fondation du S.G.C. et décide de fonder une section locale à Radio-Canada. Une première réunion d'information à l'intention des employés de Radio-Canada a lieu le 8 juillet. La section Radio-Canada est fondée le 22 juillet 1964 et le S.G.C. changera son nom en S.G.C.T. (T pour télévision) le 27 octobre 1964 pour entériner ce changement. Pour beaucoup d'employés mécontents de l'I.A.T.S.E., le S.G.C. offre une structure souple et attirante parce qu'il «est divisé en sections d'entreprises autonomes pour la négociation de conventions collectives; il est également divisé en groupes de métiers ou professions civiles et enfin, il est divisé en unités de travail, pour permettre les rencontres et les discussions entre les gens qui appartiennent à la même équipe de production». [4]

Entre-temps, le président du C.T.C., Claude Jodoin s'inquiète de l'arrivée de la C.S.N. dans le secteur et déconseille aux dirigeants du local 878 de maintenir leur demande d'accréditation séparée, de crainte que le syndicat ne devienne alors une proie facile pour la C.S.N. L'I.A.T.S.E. est engagée, à ce moment, dans la renégociation de la convention collective et le processus est marqué par des tensions très vives entre les dirigeants montréalais et l'agent d'affaires représentant la direction américaine du syndicat, Hugh Sedgwick. On l'accuse notamment d'arrogance envers les Canadiens français. Claude Jodoin doit intervenir auprès de la haute direction de l'I.A.T.S.E. pour obtenir la reconnaissance du principe d'une convention collective en français pour Montréal.

Malgré les pressions du C.T.C., les divisions restent profondes à l'intérieur de l'I.A.T.S.E. et ce n'est qu'en mars 1965 que la nouvelle convention peut être signée. Mais la direction montréalaise n'est pas d'accord avec la version française du texte et demande à Sedgwick de ne pas signer tout de suite la convention. C'est la première fois que le texte français d'une convention doit être officiel. Sedgwick passe outre et signe quand même la convention. Pour les dirigeants montréalais du 878, c'en est trop et on décide alors de rompre définitivement avec l'I.A.T.S.E.

Quelle est l'attitude des partisans de la C.S.N. face à ces luttes internes? Un front commun contre la direction internationale de l'I.A.T.S.E. est-il possible? En pratique, la méfiance est déjà trop profonde entre les deux groupes, du côté des militants du 878, la C.S.N. est très mal perçue et chez les militants du S.G.C.T., on sous-estime l'ampleur des divergences qui séparent la direction internationale et la direction montréalaise de l'I.A.T.S.E., en ayant tendance à y voir des manœuvres dirigées en réalité contre la C.S.N. Gisèle Richard croit que des malentendus sont en bonne partie à l'origine de cette division, qui va amèrement opposer entre eux les militants syndicaux de Radio-Canada au cours des années suivantes.

---

4.   DUMAS, Evelyn, «Comment la C.S.N. s'est affirmée à Radio-Canada», *Le Devoir*, 9 février 1966, p. 9.

Craintes face à la C.S.N.

La méfiance est aggravée par les rivalités profondes entre la C.S.N. et le C.T.C.-F.T.Q. Les syndicats pancanadiens affiliés au C.T.C. craignent une vaste campagne de maraudage de la C.S.N. qui connaît pendant cette période une expansion spectaculaire. De fait, des tentatives d'organisation sont en cours dans le secteur du rail, et plus tard, chez les commis à l'emploi du gouvernement fédéral. Se greffent à cela les divergences idéologiques entre les deux mouvements. Ainsi, Jacques Lamarre, président du 878, écrit, dans une lettre au directeur des relations industrielles de la CBC, à Ottawa:

«Si la Société Radio-Canada décidait de ne pas acquiescer à notre requête, elle déclencherait un mouvement incontrôlable qui pourrait avoir les pires conséquences politiques.»[5]

Pour plusieurs militants C.S.N., il y a là un combat fondamental entre deux conceptions du syndicalisme. Le président du S.G.C.T., Léonard Forest, se fait le porte-parole de cette vision. Dans son rapport moral à l'assemblée générale du 8 décembre 1964, il cite largement Pierre Vadeboncœur, en décrivant la lutte du S.G.C.T. comme «la tentative qu'un nombre impressionnant d'ouvriers font pour retrouver contre les syndicats ineptes, profiteurs et d'ailleurs étrangers, leur propre pouvoir d'agir».[6]

Les traditionnels arguments du clergé contre le syndicalisme «neutre» des «internationaux» font place à un discours plus radical, teinté d'humanisme et d'anti-américanisme mais encore fortement nationaliste. D'ailleurs, les opposants au S.G.C.T. n'hésitent pas dès le début à le taxer de projet «séparatiste», visant à regrouper les travailleurs «on the basis of a difference in language.»[7]

Quoi qu'il en soit, le S.G.C.T. décide de lancer dès septembre 1964, sa première campagne d'adhésion à Radio-Canada: on organise

---

5. Procès-verbal du S.G.C.T., 30 octobre 1964.
6. Procès-verbal de l'assemblée générale du 18 décembre 1964. Rapport du président de l'assemblée.
7. *Canadian Film Weekly* du 9 octobre 1964. Soulignons que ce genre d'attaque ne reposait pas sur la réalité, car le S.G.C.T. fut très sensible à l'intégration des anglophones en son sein.

de nombreuses assemblées d'information, on publie un manifeste[8], etc. Mais la campagne d'organisation est mise en sourdine fin octobre afin de ne pas nuire aux négociations en cours entre l'I.A.T.S.E. et Radio-Canada. Le bureau de direction vote alors la résolution suivante:

«Nous reconnaissons qu'I.A.T.S.E. nous représente actuellement au plan des négociations, nous évitons de faire quoi que ce soit pour nuire ou retarder les négos en cours. Pour l'instant, nous n'avons pas l'intention d'agir au plan de la représentation avant la signature du contrat.»[9]

Début avril de l'année suivante, la rupture entre l'I.A.T.S.E. et les dirigeants montréalais est consommée. Ceux-ci ont pris contact entre-temps avec les dirigeants du local de Toronto de l'I.A.T.S.E. qui, eux aussi, sont très mécontents de «l'international». Il est donc décidé de créer ensemble un nouveau syndicat pancanadien, indépendant de l'I.A.T.S.E. et affilié directement au C.T.C.: le Syndicat canadien de la télévision.

À partir de ces développements, les dirigeants du S.G.C.T. à Radio-Canada envisagent un moment de rencontrer la direction montréalaise de l'I.A.T.S.E. Mais l'idée est repoussée, car la méfiance reste trop profonde entre les deux groupes (les membres du bureau de direction du S.G.C.T. avaient été expulsés de l'I.A.T.S.E. l'automne précédent) et l'on pense qu'il sera facile d'obtenir rapidement une majorité de signatures pour la C.S.N.: «200 nouveaux membres et tout sera réglé», peut-on lire dans les procès-verbaux.[10]

Fin avril, l'I.A.T.S.E.-Montréal et l'I.A.T.S.E.-Toronto tiennent auprès de leurs membres un référendum à deux volets, demandant s'ils sont: a) d'accord avec la révocation du certificat de l'I.A.T.S.E. et b) pour la création d'un nouveau syndicat, canadien et directement affilié au C.T.C. Les résultats sont les suivants: par 824 voix contre 115, les votants se disent favorables à la révocation du certificat de reconnaissance syndicale de l'I.A.T.S.E. et par 760 voix contre 115, pour le nouveau syndicat. [11]

---

8. *Pourquoi nous voulons à Radio-Canada un syndicat nouveau*, pamphlet publié par la C.S.N., 1964.
9. Procès-verbal du comité provisoire de la section Radio-Canada, 20 octobre 1964.
10. Procès-verbal du bureau de direction provisoire du S.G.C.T., Radio-Canada, 12 avril 1965.
11. DUMAS, Evelyn, «Un sigle symbolise...», art. cité.

Du neuf avec du vieux

Le 5 mai, le bureau de direction du S.G.C.T. se réunit pour discuter des résultats de ce référendum. D'après le procès-verbal de la réunion, on semble plutôt confus quant aux intentions réelles des dirigeants de l'I.A.T.S.E. Certains ne voient là qu'une nouvelle manœuvre destinée à faire taire le mécontentement des membres et dirigée en réalité contre la C.S.N. On envisage cependant la possibilité d'étendre à l'extérieur du Québec la campagne d'organisation du S.G.C.T. afin de pouvoir mieux rivaliser avec le projet des dissidents de l'I.A.T.S.E. qui eux sont présents à Montréal et à Toronto. Mais rien de concret n'est entrepris car l'objectif demeure le même, c'est-à-dire la mise sur pied d'un syndicat pour les employés du réseau français de Radio-Canada, qui n'est alors présent qu'au Québec. L'annonce officielle de la création du Syndicat canadien de la télévision (S.C.T.), en mai, prend par surprise les militants du S.G.C.T. qui n'y croyaient pas.

Pourtant, il faut se rendre à l'évidence, il y a dorénavant deux groupes qui rivalisent à Radio-Canada pour remplacer le syndicat américain discrédité. Le S.G.C.T. souligne la continuité entre le «vieux» I.A.T.S.E. et le «nouveau» S.C.T.: mêmes dirigeants, même agent d'affaires local. Mais ce qui surprend et décourage le plus certains militants du S.G.C.T., c'est l'attitude de nombreux employés qui signent des cartes pour le S.C.T. même après avoir signé une carte C.S.N.[12] Le S.C.T. parvient à prendre le S.G.C.T. de vitesse et dépose une requête en accréditation auprès du C.C.R.O. le 6 août 1965.

Sur recommandation de la C.S.N., le S.G.C.T. décide de contester la requête du S.C.T. Pour ce faire, on invoque des gestes d'intimidation dirigés contre des employés à qui il fut dit que «s'ils ne signaient pas leur carte avec le S.C.T., ils seraient congédiés».[13] Le conseiller de la C.S.N., Jean-Paul Geoffroy, explique l'importance de faire rejeter la requête du S.C.T. par le C.C.R.O. pour ainsi permettre la tenue d'un vote entre l'I.A.T.S.E. et la C.S.N. De plus, si le C.C.R.O. révoque la demande du S.C.T., un délai de 6 mois est alors exigé avant de pouvoir présenter une nouvelle requête devant ce der-

---

12. Cf. Procès-verbal du bureau de direction provisoire, du 28 juillet 1965.
13. Cf. Procès-verbal du bureau de direction S.G.C.T., du 7 septembre 1965.

nier. Cette règle de procédure du C.C.R.O. devait être le fondement d'un jeu de chaise musicale qui durera plus de deux ans. Une fois la demande d'un des deux syndicats rejetée, son rival a les coudées franches pendant 6 mois pour faire sa propre campagne et ainsi de suite. Pour cette raison, les employés de Radio-Canada n'auront jamais vraiment à choisir entre deux (ou trois) syndicats simultanément. Au lieu de cela, différents syndicats viendront à tour de rôle se présenter comme alternative, de 6 mois en 6 mois.

En même temps qu'il conteste la requête du S.C.T., le S.G.C.T. poursuit sa propre campagne d'organisation. Dès le 5 octobre, il dispose de l'appui d'une majorité d'employés à Montréal et à Québec, ce qui lui permet de déposer sa propre requête devant le C.C.R.O. au début de novembre.

Le 17 novembre, le C.C.R.O. tient ses audiences sur la requête déposée en août par le S.C.T. Elle est rejetée le 20, sur la base d'un vice de forme dans la constitution du syndicat. Le S.C.T. a deux co-présidents, un à Montréal et un à Toronto, alors que le C.C.R.O. exige un seul président. Le 15 décembre 1965, c'est au tour du S.G.C.T. de faire entendre sa première et vaine demande pour représenter les employés de la production de Radio-Canada au Québec.

À la fin de 1965, le tableau syndical d'ensemble de Radio-Canada est le suivant: 6 000 employés permanents (à l'exclusion des cadres et des contractuels) à travers le pays représentés par 5 syndicats internationaux affiliés au C.T.C., dont:

— *Association of Radio and Television Employees of Canada* (A.R.T.E.C.), 2 100 employés de bureau et annonceurs;

— I.A.T.S.E., bien sûr, qui regroupe les 1 650 employés de la production (la plus grande diversité de métiers: des machinistes aux couturières, en passant par les scripts, monteurs, etc.);

— *The Newspaper Guild* (T.N.G.), 300 personnes qui travaillent dans les salles de nouvelles (journalistes, commis, assistants);

— *Inernational Union of Building Service Employees* (I.U.B.S.E.), les préposés à l'entretien ménager.

Cette liste exclut les associations professionnelles (réalisateurs) et celles regroupant artistes et contractuels (Union des Artistes, etc.). Dans ce contexte, la requête du S.G.C.T. constitue un précédant pour le C.C.R.O., comme l'explique Evelyn Dumas:

«Depuis l'origine de la télévision canadienne, tous les employés d'un même métier à Radio-Canada, quel que soit leur lieu de travail, appartiennent à un seul syndicat canadien. Les cinq unions de métiers, tous affiliés au C.T.C., poursuivent leurs activités à l'échelle du pays. La C.S.N. demandait le fractionnement de l'unité de négociation nationale dans le cas des cotisants d'I.A.T.S.E. Comme l'expliquait le conseiller technique du syndicat, Me Jean-Paul Geoffroy, dans une lettre au fonctionnaire exécutif en chef du C.C.R.O., le syndicat n'entendait représenter que les employés du réseau francais de Radio-Canada (cotisants d'I.A.T.S.E.) qui travaillent dans les deux centres de production française de la société, Montréal et Québec.»[14]

Me Geoffroy invoque la réalité d'un réseau français distinct au sein de la société d'État pour justifier sa demande, ainsi que les spécificités culturelles et linguistiques qui en découlent. Me Geoffroy est d'ailleurs optimiste à la veille des audiences du C.C.R.O. Il a rencontré un des commissaires de l'organisme, Gérard Picard, ancien président de la C.S.N., qui l'assure que la création d'unités de négociations régionales au sein d'entreprises pancanadiennes est possible et qu'il existe des précédents. Il donne l'exemple des vendeurs d'espaces publicitaires dans les pages jaunes de Bell Canada au Québec.[15] D'ailleurs, la thèse défendue par le S.G.C.T. s'appuie sur l'attitude des dirigeants montréalais de l'I.A.T.S.E. qui tentèrent en 1964 de négocier séparément la convention pour le réseau français au lieu de le faire sur une base nationale. Mais, écrit Evelyn Dumas, «les dés étaient pipés contre la C.S.N. au C.C.R.O.».[16]

Un Conseil «canadian»

Les notes sténographiques des audiences sont éloquentes à cet égard.[17] L'ensemble des débats se déroule en anglais seulement, tous

---

14. DUMAS, Evelyn, «Comment la C.S.N...», art. cité.

15. Cf. le procès-verbal du 7 septembre 1965, du bureau de direction du S.G.C.T.

16. Titre de son article du 10 février 1965 dans *Le Devoir*, 4e série qui retrace l'historique du conflit jusque-là.

17. Canada Labour Relations Board, *Trancript in proceeding in application for certification of le SGCT*, document ronéotypé, Ottawa, S.D. Departement of Labour, doc. 766: 1759, 125p.

les commissaires (sauf Picard) étant unilingues, y compris le président, M.A. Brown. Celui-ci restreint par ailleurs le débat a une approche légaliste et exclut toute argumentation tendant à étayer la réalité vécue par les membres de l'I.A.T.S.E. au Québec. Alors que l'avocat de la C.S.N. tente d'expliquer les causes qui ont conduit le S.G.C.T. à conquérir l'appui d'une majorité d'employés au Québec, fondant ainsi les raisons militant en faveur d'un syndicat distinct, le président du C.C.R.O. affirme qu'il ne s'intéresse pas à cela et qu'il ne cherche qu'à savoir si le S.G.C.T. peut former une «unité nationale» apte à remplacer l'I.A.T.S.E.

Pendant les audiences, l'avocat représentant A.R.T.E.C. dénonce même la demande en l'assimilant à un complot politique de la C.S.N.[18] Radio-Canada dénonce pour sa part la requête du S.G.C.T. en affirmant qu'elle ne contribue pas à la «paix industrielle» et en soutenant que le réseau français n'est qu'une division administrative sans autonomie ou autorité réelle au sein de la CBC.

Le 14 janvier 1966, le C.C.R.O. rejette la requête du S.G.C.T. Le C.C.R.O. reconnaît que le S.G.C.T. dispose d'une majorité claire au Québec (382 membres sur 664 ou 57,5 pour cent). Mais le conseil fait porter sa décision à un autre niveau, celui du «fractionnement d'unités nationales de négociations déjà établies»:

«Le conseil est d'avis qu'ordinairement il n'est pas favorable à l'établissement de relations ouvrières stables ni de négociations de conventions collectives ordonnées, de subdiviser une unité de corps de métier bien établie d'employés d'un employeur jugée par le Conseil comme une unité habile, en plusieurs unités comprenant le même corps de métier.»[19]

Le Conseil établit de la sorte que, s'il peut admettre la création de nouvelles unités de négociation régionales à l'intérieur d'entreprises pancanadiennes (cf. le précédent de Bell), il n'est pas question par contre, de démanteler un syndicat «national» (pancanadien) déjà établi. En agissant ainsi, le C.C.R.O. maintient le certificat de reconnaissance syndicale de l'I.A.T.S.E., qui a déjà pourtant été rejeté par l'immense majorité des membres et qui n'a plus qu'une existence fantomatique à Radio-Canada.

---

18. Transcripts, op. cit., aux pp. 110-120.
19. C.C.R.O. décision entre le S.G.C.T., demandeur, et la Société Radio-Canada, défenderesse. Texte ronéotypé, p. 7, 1966.

Le plateau politique

Après les audiences du C.C.R.O. et sa décision, la bataille pour l'accréditation du S.G.C.T. se déplace de plus en plus sur le plan politique. Pour la C.S.N., l'enjeu est de taille: centrale québécoise, elle est alors en pleine expansion surtout dans le secteur public. Mais elle ne peut espérer rivaliser avec une centrale de l'envergure du C.T.C. à l'échelle canadienne. La force de la C.S.N. réside dans la spécifité du Québec. Or le jugement du C.C.R.O. lui interdit tout espoir de faire une percée dans le secteur des employés québécois de la fonction publique fédérale et des grandes entreprises pancanadiennes des transports et communications. Plusieurs campagnes d'organisation sont menées par la C.S.N. dans ces secteurs à cette époque (commis fédéraux, chemins de fer, etc.): l'enjeu porte sur des dizaines de milliers de syndiqués. Nombreux sont les grands syndicats de métiers internationaux affiliés au C.T.C. qui se sentent menacés. D'ailleurs, les avocats représentant les autres syndicats accrédités à Radio-Canada ne se sont pas gênés, lors des audiences, pour souligner au C.C.R.O. quel dangereux précédent pourrait être créé par la reconnaissance du S.G.C.T.

Par ailleurs, la C.S.N. estime qu'un principe fondamental est remis en cause par la décision du Conseil. Le seul dissident à la décision du C.C.R.O., Gérard Picard, le soulève:

«La majorité des employés de Montréal et de Québec, groupée dans l'unité de négociation réclamée par le syndicat C.S.N., après avoir fait leur choix et exercé librement leur droit d'association, se trouvent dans l'obligation de retourner à I.A.T.S.E. dont ils ne veulent plus.» [20]

En faisant du respect du droit à la libre association son cheval de bataille, la C.S.N. décide alors de faire jouer toute son influence dans le dossier du S.G.C.T.-Radio-Canada, qui prend ainsi valeur de test. Le nouveau président de la centrale, Marcel Pepin, rencontre le ministre fédéral du travail le 21 janvier. Celui-ci se dit inquiet et promet d'étudier le cas; un comité ministériel sera d'ailleurs formé. Le Devoir et le Montréal Star publient des éditoriaux favorables à la C.S.N. La Presse, pour sa part, reprendra plutôt la thèse du C.C.R.O.

---

20. C.C..R.O., décision..., p. 13.

Le S.G.C.T. fait alors face à un tournant décisif de son histoire. Jusque-là, il avait fonctionné à deux paliers: des sections d'entreprises autonomes (O.N.F., Radio-Canada et un secteur entreprise privée) et le «syndicat général» regroupant tout le monde avec un bureau de direction commun.

Mais au cours de ses 18 premiers mois d'existence, les événements ont contribué à élargir la vocation de la section Radio-Canada du S.G.C.T. D'une section d'un regroupement québécois de l'industrie du cinéma, il tend à devenir de plus en plus un syndicat d'entreprise, ouvert à toutes les catégories d'employés. Déjà, en septembre, des membres d'A.R.T.E.C. manifestent leur intérêt pour le S.G.C.T., qui décide de les admettre.[21] La C.S.N. pense que pour continuer la lutte, il faut consacrer ce changement de vocation et présenter le S.G.C.T. comme alternative à tous les employés de Radio-Canada, non plus uniquement à ceux de la production.

Tout se joue à la réunion du bureau de direction de l'ensemble du S.G.C.T., le 31 janvier 1966. Plusieurs membres sont réticents car ce choix implique, selon eux, l'abandon de la vocation initiale du S.G.C.T. et le renoncement à un syndicat de l'industrie québécoise du cinéma. Mais le secteur «industrie privée» du syndicat n'a jamais vraiment fonctionné, malgré plusieurs tentatives d'organisation, et le S.G.C.T. opère déjà dans les faits comme deux syndicats autonomes: Radio-Canada et l'O.N.F. Les représentants de la C.S.N. font valoir que l'accréditation à Radio-Canada doit devenir la propriété du S.G.C.T., puisque c'est là que se joue l'avenir de tout le syndicat. Il est donc décidé de faire du S.G.C.T. un syndicat d'entreprise, du moins en ce qui concerne Radio-Canada. Selon Gisèle Richard, à partir de ce moment, la réalité du syndicat «général» ira en s'amenuisant, chaque section allant suivre son chemin indépendamment de l'autre.[22]

---

21. Procès-verbal du bureau de direction provisoire du 27 septembre 1965.
22. Entrevue avec Gisèle Richard, le 24 novembre 1981.

L'arrivée des journalistes

Entre-temps, la décision du C.C.R.O. a créé une vague de sympathie envers le S.G.C.T. chez les employés de Radio-Canada. Plusieurs groupes appartenant à d'autres syndicats viennent rencontrer les dirigeants du S.G.C.T. pour demander à y adhérer. Les journalistes, en particulier, annoncent qu'ils soumettront une demande d'accréditation pour devenir une section du S.G.C.T.

Le 1er février, les membres du S.G.C.T. à Radio-Canada tiennent une assemblée générale spéciale, où les 310 personnes présentes, après avoir écouté Marcel Pepin, adoptent unanimement une résolution pour protester énergiquement contre l'injustice de la décision du C.C.R.O. et réclamer le respect de leur droit d'association. [23]

Pour les militants de la première heure, l'arrivée de nouveaux groupes dans la bataille constitue un appui important. Les journalistes connaissaient avec T.N.G. les mêmes problèmes que les ex-syndiqués de l'I.A.T.S.E. L'intérêt des journalistes pour le mouvement lancé par le S.G.C.T. se manifeste très tôt et dès que leur convention collective prend fin, les journalistes décident de rallier les rangs du S.G.C.T. qui est, à leur sens, le seul syndicat en mesure de défendre convenablement leurs droits.

La réponse des journalistes est telle que le 22 février 1966, le S.G.C.T. est en mesure de déposer une demande d'accréditation pour les employés de la salle des nouvelles de Montréal représentés par T.N.G. Cette demande sera toutefois retirée le 12 juillet suivant à cause d'un vice de forme.

En même temps, des contacts se créent avec les techniciens représentés par N.A.B.E.T. Début mars, quatre dirigeants du local montréalais démissionnent avec fracas pour se joindre au S.G.C.T. La campagne d'organisation n'aura cependant qu'un succès mitigé dans ce secteur.

Le 13 mars, la C.S.N. donne le coup d'envoi à sa campagne d'appui au S.G.C.T. Elle organise une assemblée de soutien aux travailleurs de Radio-Canada qui se tient au Palais du commerce, à laquelle

23. Procès-verbal de l'assemblée générale spéciale du 1er février 1966.

2 000 personnes participent. La résolution suivante est adoptée à l'unanimité:

«1) La tenue de réunions semblables dans diverses régions de la province;

2) un appel à tous les organismes qui croient aux valeurs impliquées dans ce conflit, dont la valeur culturelle, pour qu'ils fassent connaître leur point de vue;

3) la mise en place des structures nécessaires pour organiser une marche sur le Parlement fédéral, si le cabinet et le gouvernement ne prennent pas les mesures correctives dans un délai raisonnable.»[24]

Le S.C.F.P. entre en scène

Du côté des syndicats affiliés au C.T.C., on commence à prendre conscience du vide laissé par l'I.A.T.S.E., qui n'existe plus que sur papier à Montréal et à Toronto.[25] Malgré une clause de la constitution du C.T.C. qui interdit le maraudage entre ses affiliés, deux syndicats s'organisent pour prendre la relève de l'I.A.T.S.E. et profiter de ce que le S.G.C.T. doit attendre six mois avant de pouvoir déposer une nouvelle demande d'accréditation. N.A.B.E.T. et le Syndicat canadien de la fonction publique (S.C.F.P.) entreprennent concurremment de recruter des cotisants de l'I.A.T.S.E. à l'échelle du pays (à la différence de la C.S.N.) et annoncent qu'ils s'ouvriront ensuite à l'ensemble des employés de Radio-Canada. L'idée d'un syndicat unique à la société d'État lancée par la C.S.N. gagne donc du terrain.

Le S.C.F.P. est un nouveau venu sur la scène syndicale mais, en réalité, il succède au Syndicat canadien de la télévision (S.C.T.), mort-né. Ses dirigeants à Radio-Canada sont en effet Jacques Lamarre et Yvon Dansereau, qui furent respectivement président et agent d'affaires montréalais de l'I.A.T.S.E., puis co-président et secrétaire de l'éphémère S.C.T.

---

24. *Le Travail*, mars 1966, pp. 10-11.
25. Le 9 février, Radio-Canada a déposé une requête devant le C.C.R.O., lui demandant de clarifier la représentativité de l'I.A.T.S.E. en ordonnant un vote. Le Conseil repousse cette demande le 4 avril.

Mais cette fois, ils bénéficient de l'appui d'un puissant syndicat pancanadien, le S.C.F.P., et de celui de la F.T.Q., qui a décidé de soutenir le S.C.F.P.

De son côté, la C.S.N. poursuit ses pressions auprès du gouvernement fédéral. En avril, elle obtient la formation d'un comité ministériel pour étudier le problème de la représentation syndicale au C.C.R.O., l'un des principaux griefs de la centrale.

Le S.C.F.P. crie à l'ingérence politique comme l'avait fait auparavant l'A.R.T.E.C. durant les audiences du C.C.R.O.

Simultanément, le S.G.C.T. poursuit sa campagne d'organisation auprès des autres groupes d'employés. Le 19 avril, il recueille suffisamment d'appuis (25 signatures sur 44 employés) pour déposer une requête concernant les concierges et les opérateurs d'ascenseurs, représentés par I.U.B.S.E. Le syndicat adopte aussi de nouveaux statuts. La section d'entreprise est divisée en sous-groupes professionnels, autonomes en ce qui touche leurs conditions de travail. Enfin, l'assemblée générale adopte le texte d'un mémoire qui sera soumis au comité ministériel fédéral. Le mémoire attire surtout l'attention sur les injustices découlant de la composition du C.C.R.O. Aux arguments sur la nécessité de l'unité des travailleurs face à un même employeur, le mémoire oppose, outre l'autonomie du réseau français, l'importance des barrières culturelles.

Le mémoire conclut en affirmant que ce que la décision du C.C.R.O. met ultimement en cause, c'est «la liberté culturelle des travailleurs au sein de la fédération canadienne».[26]

Mais dès le 25 mai, le S.C.F.P. crie victoire et affirme avoir recueilli l'appui d'une majorité d'employés, y compris au réseau français.[27] Le 23 juin, le S.C.F.P. dépose sa requête pour former une unité nationale à Radio-Canada appelée à remplacer l'I.A.T.S.E.

En octobre, la réaction du C.C.R.O. à la requête du S.C.F.P. donne un coup de fouet aux militants du S.G.C.T. qui manifestent un certain essoufflement après deux ans de lutte. Au cours de l'été, les réunions avaient été rares et difficiles à tenir, même pour le bureau de direction.

---

26. Mémoire de la C.S.N. au gouvernement fédéral, du 19 avril 1966.
27. «La F.T.Q. aura gain de cause dans le conflit de Radio-Canada», *Métro-Express*, 20 mai 1966, p. 3.

En août, Marcel Pepin a saisi le Bureau international du travail (B.I.T.) à Genève, de l'affaire Radio-Canada. Il a même songé à déposer une plainte officielle, car un droit fondamental a été bafoué par le C.C.R.O., estime la C.S.N.[28] Le 5 août, par ailleurs, le C.C.R.O. a ordonné la tenue d'un vote d'allégeance syndicale pour les employés du I.U.B.S.E. Le vote, tenu à la fin du mois, a été gagné 32 à 12 par le S.G.C.T. Le syndicat obtient ainsi sa première accréditation, pour les opérateurs d'ascenseurs et les concierges, le 19 septembre 1966. Cette fois, le C.C.R.O. n'a pu invoquer le bris d'une unité nationale pour s'opposer à la demande, puisque le I.U.B.S.E. ne disposait que d'une accréditation locale à Montréal.[29] Le 12 septembre, les journalistes sont en mesure de déposer une nouvelle demande d'accréditation.

Un choix factice

Parallèlement, le C.C.R.O. a ordonné la tenue d'un vote d'allégeance «national» entre le S.C.F.P. et l'I.A.T.S.E., les 23 et 24 novembre 1966. Pour le S.G.C.T., c'est la goutte qui fait déborder le vase, puisqu'il est exclu de ce vote, à cause du rejet de sa propre demande en janvier. Cette fois-là, le C.C.R.O. n'a pas jugé nécessaire d'ordonner un vote auprès des employés avant de trancher la question!

Pour les militants du S.G.C.T., choisir entre l'I.A.T.S.E. et le S.C.F.P. —tous deux affiliés au C.T.C.— c'est bonnet blanc ou blanc bonnet. La C.S.N. et la F.T.Q. tirent tour à tour à boulets rouges sur les députés fédéraux québécois: la première les rend responsables de l'incurie du C.C.R.O. tandis que la seconde craint qu'ils ne cèdent aux pressions de la C.S.N. Les députés fédéraux se disent «assiégés».[30]

Au cours d'un conseil national animé, le S.G.C.T. décide de boycotter le vote en demandant d'inscrire «C.S.N.» sur les bulletins. On

---

28. *Le Travail*, vol. 42, no. 6, août 1966.
29. «La C.S.N. gagne le vote à Radio-Canada», *Le Devoir*, 30 août 1966, p. 7.
30. *Le Devoir*, 25 et 26 octobre 1966 et 2 novembre 1966.

espère ainsi faire gagner l'I.A.T.S.E. par défaut, puisque la loi exige d'un nouveau syndicat qu'il recueille la majorité absolue pour déloger celui en place. Les partisans du boycott expliquent qu'il sera plus facile après de déloger l'I.A.T.S.E. qu'un ennemi puissant.[31]

La décision du S.G.C.T. est annoncée en conférence de presse par Marcel Pepin le 4 novembre. Celui-ci soutient que le vote est truqué puisque les travailleurs de Radio-Canada ont à faire un choix entre deux unions du C.T.C. dont une a déjà été clairement rejetée par les employés.[32]

Pendant ce temps, l'I.A.T.S.E. tente de négocier une nouvelle convention collective avec Radio-Canada. Mais la société d'État refuse, invoquant la non-représentativité du syndicat. Face à cette attitude, l'I.A.T.S.E. obtient la conciliation à laquelle Radio-Canada n'accepte pas de participer.

Inquiété par la menace que représente le boycottage qui peut lui faire perdre l'accréditation, le S.C.F.P. donne une conférence de presse le 8 novembre pour dénoncer la tactique du S.G.C.T. Le directeur québécois du S.C.F.P., André Thibodeau, affirme que le S.C.F.P., contrairement à la C.S.N., est en mesure d'offrir une alternative pancanadienne en remplacement de l'I.A.T.S.E.

Forte de son mémoire déposé sept mois plus tôt, la C.S.N., pour sa part, amplifie sa campagne auprès du gouvernement fédéral et réclame quatre modifications majeures à la Loi fédérale des relations ouvrières pour transformer en profondeur les règles du jeu au C.C.R.O.:

— Dans le cas d'un conflit intersyndical intéressant un affilié du C.T.C. et un affilié de la C.S.N., chacun doit être représenté en nombre égal au C.C.R.O.;

— afin que les employeurs n'aient pas à décider du choix du syndicat pour les employés, seul le président du C.C.R.O. doit avoir le droit de vote dans un conflit intersyndical, à moins qu'il n'y ait unanimité de la part de tous les membres;

— tous les membres du Conseil, et particulièrement le président, doivent être bilingues, pour permettre aux parties de se faire entendre directement dans l'une des deux langues officielles du pays;

---

31. Procès-verbal du conseil syndical du S.G.C.T. du 1er novembre 1966.
32. «La C.S.N. va boycotter le vote à Radio-Canada», *La Presse*, 5 novembre 1966.

— que le C.C.R.O. ne puisse accorder ou maintenir une accréditation sur la base nationale à moins que toute et chacune des unités de négociation «naturelles» soient d'accord.[33]

Au même moment, la C.S.N. lance une campagne nationale dirigée vers les députés fédéraux du Québec pour les forcer à se prononcer sur ces revendications. Le 16 novembre, la centrale met sur pied une nouvelle structure, le Comité d'action politique (C.A.P.) dans chaque comté pour coordonner sa campagne auprès des députés fédéraux. [34]

Durant cette campagne, la guerre des communiqués fait rage entre la C.S.N. et la F.T.Q. Marcel Pepin accuse «le lobby syndical canado-américain» de vouloir à tout prix maintenir les employés de Radio-Canada dans un «syndicat *coast-to-coast* dont ils ne veulent pas».[35] Louis Laberge réplique en parlant d'un lobby C.S.N.-libéraux fédéraux.

À Radio-Canada, le S.G.C.T. se mobilise en faveur du boycottage. On fait reparaître *La...libre* pour l'occasion.[36] Des tracts et des autocollants sont distribués quotidiennement. L'enjeu est de taille: malgré son exclusion du vote, le résultat sera perçu comme un indice de l'appui réel dont bénéficie la C.S.N. à Radio-Canada. Parallèlement, la campagne auprès des députés fédéraux donne des résultats assez rapides. Le 16 novembre, le caucus québécois des députés libéraux prend l'initiative d'adopter à l'unanimité le texte d'une adresse au comité interministériel chargé d'étudier les griefs de la C.S.N. contre le C.C.R.O. Le texte, soumis par Gérard Pelletier, presse le comité d'agir vite et reprend à son compte l'essentiel des demandes de la C.S.N. en ce qui concerne la reconnaissance des unités naturelles de négociation. [37]

---

33. «La C.S.N. se retire...», *Le Devoir*, 12 novembre 1966, p. 3.
34. «La C.S.N. met sur pied son comité d'action politique», *La Presse*, 17 novembre 1966 (les C.A.P. deviendront une structure permanente de la centrale le 16 décembre. Cf. *La Presse* du 17 décembre 1966. André L'Heureux sera le coordonnateur des C.A.P. et de la campagne vers les députés. D'une structure de lobby, les C.A.P. évolueront pour jouer un rôle dans la naissance du F.R.A.P., un parti d'opposition politique à Montréal, trois ans plus tard).
35. «Pepin: la C.S.N. met tout en œuvre...», *Le Devoir*, 10 novembre 1966, p. 9.
36. *La...Libre* avait été mise sur pied en 1964 comme journal de grève des employés de *La Presse*.
37. Le texte devait être interne. Une fuite l'a donné au *Devoir*: «Les députés libéraux fédéraux appuient la position de la C.S.N.», *Le Devoir*, 17 novembre 1966, qui qualifie le geste «d'exceptionnel et de sans précédent».

Appuis de taille

Les 18 et 22 novembre, la C.S.N. et le S.G.C.T. reçoivent deux appuis importants. Claude Ryan d'abord qui, par un éditorial, explique que le cas du S.G.C.T. est une illustration du problème plus général de la place du Québec au sein de la Confédération canadienne.[38] Le 22, LE DEVOIR fait sa manchette, à la veille du vote, avec un communiqué de René Lévesque aux employés de Radio-Canada. [39] Lévesque y affirme son appui à la campagne de boycottage en insistant sur l'importance du principe de la libre association que le C.C.R.O. refuse au S.G.C.T., en rappelant la longue lutte menée à ce sujet par les réalisateurs de Radio-Canada en 1959.

Les premiers résultats sont confus et le S.C.F.P. crie d'abord victoire. *La Presse* du 26 novembre titre en effet à la une: «Radio-Canada: le S.C.F.P. l'emporte par 11 voix.» *Le Devoir*, plus nuancé, titre: «Le résultat confus du vote à Radio-Canada permet aux deux parties de se réjouir.» La confusion porte sur le nombre de votants inscrits, ce qui empêche de vérifier si le S.C.F.P. recueille la majorité absolue. Seuls les résultats officiels du C.C.R.O. permettront de trancher. Les résultats diponibles le 26 sont ceux fournis pour le S.C.F.P.:

	Canada (1 586 votants)	Répartition au Québec
S.C.F.P.	803	315
I.A.T.S.E.	435	78
C.S.N.	264	264
A.B.S.T.	84	61

Le S.C.F.P. a été massivement appuyé à Toronto tandis que tous les votes C.S.N. viennent de Montréal. L'appui à l'I.A.T.S.E. est essentiellement le fait des centres de production régionaux de la CBC au Canada anglais. La C.S.N. se réjouit de l'appui reçu — 42 pour cent des suffrages au Québec — alors qu'elle était officiellement exclue du vote et que les employés, compte tenu de la période de négociation en cours, auraient pu être d'abord pragmatiques en cherchant

38. *Le Devoir*, 18 novembre 1966, p. 7.
39. *Le Devoir*, 22 novembre 1966, p. 1.

à obtenir une unité de négociation susceptible de les représenter. D'ailleurs, lorsque le bureau de direction du S.G.C.T. discuta pour la première fois du boycottage, on y voyait surtout un geste de principe et on envisageait même la possiblité de ne recevoir qu'une cinquantaine de votes. [40]

Dès le 28, les journaux publient un communiqué de Marcel Pepin qui réclame la tenue d'un nouveau vote dont la C.S.N. fera partie.[41] Selon la C.S.N., le nombre de votants admissibles étant de 1 650 au lieu de 1 586 comme le soutient le S.C.F.P., personne n'a recueilli la majorité absolue exigée par les règlements du C.C.R.O. Le lendemain, le S.C.F.P. admet qu'effectivement, il n'a pas obtenu un appui suffisant. [42]

Face au vide

Ces résultats confirment l'ampleur du paradoxe syndical à Radio-Canada: l'I.A.T.S.E. n'a plus que 25 pour cent d'appui à travers le pays mais n'en continue pas moins, par défaut, à représenter légalement les employés de la production. Et la Société refuse maintenant de négocier avec l'I.A.T.S.E., en invoquant sa non-représentativité. Face à un tel vide, le S.G.C.T., même sans accréditation, devra de plus en plus consacrer ses énergies à la défense des intérêts quotidiens des employés, à tel point qu'il obtiendra ainsi une reconnaissance *de facto* de la part de Radio-Canada.

---

40. «Nous ne jugeons pas ceux qui ne nous suivront pas. Nous constatons que si seulement 50 inscrivent S.G.C.T. sur leur bulletin, ce sera la relève pour la prochaine action». Procès-verbal du conseil syndical du 1er novembre 1966.
41. «Marcel Pepin demande au C.C.R.O. de décréter un vote dans le Québec», *Montréal-Matin*, 28 novembre 1966, p. 7.
42. «Le syndicat canadien ne réclame plus la majorité à Radio-Canada», *Le Devoir*, 29 novembre 1966, p. 1. Le S.C.F.P. y annonce qu'il contestera les résultats du vote à cause de «l'ingérence» et de «l'intimidation» de la C.S.N. à Montréal.
    Les résultats officiels ne seront connus que lorsque le Conseil se prononcera, le 17 février. Le C.C.R.O. déboutera le S.C.F.P. tout en qualifiant l'attitude de la C.S.N. d'«ill advised and mischievous». Quant aux résultats, ils établissent le nombre de votants à 1 668 et donnent 818 voix au S.C.F.P., 439 à l'I.A.T.S.E. et 262 au S.G.C.T. (au Québec, 78 à l'I.A.T.S.E., 320 au S.C.F.P. et 262 à la C.S.N.). Cf. lettre du fonctionnaire exécutif en chef du C.C.R.O. à Gisèle Richard, le 21 février 1967, avec le texte de la décision en annexe (file 7-66-1833-66, Canada Labour Relations Board, ronéotypé, 17 février 1967, 8 p.).

Ainsi, en raison de l'impuissance de l'I.A.T.S.E., les employés vivent depuis un bon moment sans convention collective et un important rattrapage salarial devient nécessaire. En plus, il n'est plus possible de recourir à la procédure des griefs pour régler les conflits qui surviennent avec l'employeur. L'insécurité est vive et le S.G.C.T. tente dès lors, malgré la faiblesse de ses moyens (puisqu'il ne dispose que des cotisations du petit groupe de l'entretien), d'agir en dépit de sa «non-existence» officielle.

Le 28 novembre, 80 membres du syndicat se rendent en délégation voir le directeur du service des relations industrielles à Montréal, Gérard Bélisle, pour lui remettre un mémoire sur le malaise dans les relations de travail à Radio-Canada.[43] Le S.G.C.T. y réclame la tenue d'un nouveau vote et fait état de plusieurs griefs qu'il entretient envers la partie patronale: sous-contrats, incurie de certains «petits boss», climat irrespirable dans certains services, etc. Radio-Canada accepte de recevoir le mémoire syndical.

Les premières négociations du S.G.C.T. pour les concierges et les opérateurs d'ascenseurs, s'ouvrent peu après. Mais c'est chez le groupe des machinistes de plateau que se cristallisent les plus vives frustrations. Celui-ci réclame un rajustement de salaire de 1 500 $ depuis la fin octobre et la Société ne réagit pas. Le 1er décembre, le S.G.C.T. demande à ses membres de refuser de faire du temps supplémentaire pour appuyer la revendication des machinistes.

La censure à Radio-Canada

Le lendemain, le syndicat accuse Radio-Canada d'avoir censuré les nouvelles maison à propos de cette lutte.[44] Quatre jours plus tard, le S.G.C.T. profite de la visite d'un groupe de députés fédéraux sur les lieux de production pour passer à l'action: 150 employés «rendent visite» à leur tour aux députés. Ils en profitent pour dénoncer le

43. «Le S.G.C.T. souhaite la tenue d'un autre vote», *La Presse*, 29 novembre 1966, p. 2. Le mémoire est reproduit dans: «Les employés de Radio-Canada livrent la première lutte pour la liberté syndicale et gagnent», *Le Travail*, vol. 42, no. 10, décembre 1966, p. 7.
44. «La C.S.N. accuse la Société Radio-Canada d'avoir brimé la liberté d'information», *La Presse*, 3 décembre 1966, p. 6.

«black-out» interne sur l'affaire des machinistes, les conditions de travail dans le vieil édifice de la rue Dorchester et le comportement du C.C.R.O.

L'accusation de censure sème l'émoi parmi les députés présents qui se tournent vers le président de la Société, Marcel Ouimet, pour demander des explications. Celui-ci affirme ne pas être au courant de l'affaire, mais se dit convaincu que de telles pratiques n'ont pas cours à Radio-Canada.[45] Le lendemain, le S.G.C.T. publie des documents qui prouvent qu'on a interdit la diffusion d'une nouvelle sur les machinistes. [46]

La Société accepte finalement, précédent important, d'entreprendre des négociations avec les machinistes représentés par le S.G.C.T. même si le syndicat n'est pas accrédité. Une rencontre initiale a lieu le 18 décembre avec le directeur de la télévision, Jean Blais.[47] Après de nombreux moyens de pression, Radio-Canada décide d'accorder à l'ensemble des employés de la production, sans nouvelle convention collective, une augmentation de 18 pour cent. [48] Pour y arriver, une délégation syndicale a notamment occupé pendant 3 jours, du 3 au 5 janvier 1967, les corridors du siège social d'Ottawa afin d'y rencontrer la haute direction. Tout le groupe de la production bénéficie donc de cette lutte menée par le S.G.C.T. à Montréal.

Pendant ce temps, sur le front de la reconnaissance légale, l'échec du S.C.F.P. donne au S.G.C.T. la possibilité d'entreprendre une nouvelle offensive auprès du C.C.R.O., ce qu'il fait sans tarder. D'autant plus que le vice-président à l'administration, Guy Coderre, a appris à la délégation venue à Ottawa que Radio-Canada ne s'oppose plus au fractionnement des «unités nationales» en son sein.[49] La C.S.N. décide d'assister aux audiences tenues le 9 janvier par le C.C.R.O. sur le vote de novembre, pour dénoncer le Conseil et réclamer de nouveau la désaccréditation de l'I.A.T.S.E.

---

45. «M. Ouimet promet que Radio-Canada enquêtera au sujet du contrôle de certaines de ses informations», *La Presse*, 7 décembre 1966, p. 57.
46. «Radio-Canada a bien demandé le silence sur des conflits ouvriers internes», *Le Devoir*, 8 décembre 1966, p. 7.
47. Annexe au procès-verbal du conseil syndical du 18 décembre 1966.
48. Procès-verbaux du conseil syndical, les 5 et 8 janvier 1966.
49. Procès-verbal du conseil syndical du 5 janvier 1967.

Lobbying politique

À peu près au même moment, la C.S.N. publie «Parole de député», brochure qui fait le compte rendu des rencontres que les Comités d'action politique ont tenu depuis novembre avec les députés fédéraux du Québec sur la question du C.C.R.O.[50] L'introduction présente la philosophie et les objectifs des C.A.P., qui sont condensés dans la formule suivante: «Permettre au peuple de s'organiser et de préparer une société bâtie pour l'Homme. Imaginer les solutions qui permettront de multiplier la participation et le contrôle populaire des institutions économiques et politiques.» [51]

Sur les 74 députés fédéraux du Québec, à ce moment, la C.S.N. en a rencontré 69. Seuls cinq députés, dont Pierre E. Trudeau, ont refusé la rencontre. 51 députés appuient les quatre revendications de la C.S.N. et sept endossent les demandes en partie. 36 libéraux, huit créditistes, cinq conservateurs et deux indépendants appuient la totalité des demandes; six libéraux et un conservateur appuient en partie les demandes tandis qu'un libéral et un conservateur refusent de se prononcer.

Dès le 23 janvier, après une campagne éclair de signatures, le S.G.C.T. dispose de suffisamment d'appuis pour déposer une nouvelle demande en accréditation au C.C.R.O. Plus de 400 employés de la production sur 700 ont signé des cartes C.S.N. [52]

Le S.C.F.P. étant temporairement hors de combat, c'est N.A.B.E.T. qui prend alors la relève pour le C.T.C., afin de riposter à la nouvelle requête de la C.S.N. Le 13 février, ce syndicat annonce qu'il lance une campagne pour créer un syndicat d'entreprise national afin d'offrir une alternative au syndicat «québécois» de la C.S.N.[53] Mais cette tentative ne fera pas long feu, N.A.B.E.T. étant incapable de recueillir suffisamment d'appuis.

---

50. C.S.N., *Parole de député*, Montréal, décembre 1966, 59 p.
51. *Parole de député*, op. cit., pp. 7-8.
52. «Reconnaissance syndicale à Radio-Canada: la C.S.N. soumet une autre requête au C.C.R.O.», *La Presse*, 26 janvier 1967.
53. «La lutte à Radio-Canada: N.A.B.E.T. revient», *Le Devoir*, 14 février 1967, p. 6.

Le C.C.R.O. tient de nouvelles audiences le 16 février, cette fois sur la requête du S.G.C.T. concernant les journalistes et les commis de la salle des nouvelles de Montréal qui avait été déposée le 12 septembre précédent. Radio-Canada fait alors savoir, mais de façon ambiguë, qu'elle ne s'oppose plus au fractionnement d'une unité nationale de négociation. [54]

Les journalistes, de leur côté, décident de maintenir la pression sur leur propre syndicat, T.N.G. Le 23 février, *Le Devoir* publie l'entrefilet suivant:

«Ils (les journalistes) invoquent d'une part qu'il sont en majorité membres d'un syndicat affilié à la C.S.N. et en deuxième lieu, que T.N.G. devrait être capable de fonctionner avec les fonds que la C.I.A. met généreusement à sa disposition pour ses opérations à l'étranger.»[55]

Le 27 février, le C.C.R.O. annonce qu'il ajourne indéfiniment sa décision sur la requête du S.G.C.T. concernant les employés de la salle des nouvelles, sans donner plus d'explications.

Pour les partisans du S.G.C.T., les délais interminables ont trop duré. À partir d'avril, on décide de recourir une nouvelle fois à la mobilisation. L'assemblée générale mandate le bureau de direction pour entreprendre des moyens de pression.[56] Le syndicat convoque une conférence de presse, où il se dit exaspéré par la paralysie du C.C.R.O. et le vide syndical ainsi créé à Radio-Canada, dont les patrons ne peuvent que profiter. Entre-temps, chez les journalistes, les partisans du S.G.C.T. se font élire à tous les postes lors des élections à la direction du local montréalais de T.N.G., ce qui ne manquera pas de créer des situations paradoxales.

Entre mars (suspension de la décision du C.C.R.O.) et mai (audiences sur la deuxième requête du S.G.C.T. pour les employés de la production), des piquets d'information quasi quotidiens sont organisés devant l'édifice de Radio-Canada, boulevard Dorchester.

---

54. C.C.R.O., trancription du procès-verbal, 16 février 1967, dossier 766: 1971. Témoignage de C. McKee aux pp. 95-96. Témoignage qui relève du patinage car McKee y affirme que Radio-Canada ne «s'oppose plus» (comme en 1966) mais ne «favorise pas» pour autant.
55. *Le Devoir*, 23 février 1967. Les journalistes font allusion aux révélations sur les fonds de la C.I.A. à des syndicats de l'A.F.L.-C.I.O., pour des cours de formation sur le syndicalisme «libre» vs. «l'influence communiste» dans le tiers-monde.
56. «Radio-Canada doit prévoir des difficultés majeures», *La Presse*, 4 avril 1967, p. 51.

Le 9 mai, le C.C.R.O. reprend une fois de plus ses audiences, cette fois sur la seconde requête du S.G.C.T. concernant la production. Radio-Canada rend alors moins équivoque le retrait de son opposition au fractionnement d'unités nationales de négociation en son sein. Clive McKee y affirme: «que le fractionnement de l'unité, quoique peu souhaitable, ne causerait aucun problème insurmontable, ni même grave à la Société». [57]

La C.S.N. n'a guère d'illusions sur l'éventuelle décision du Conseil, même avec le retrait des objections de la Société, en raison des enjeux d'un tel geste pour le C.T.C. C'est pourquoi, dès le 12 mai, le bureau fédéral de la centrale décide d'engager de nouveau la C.S.N. derrière le S.G.C.T.[58] Cette mobilisation atteint son sommet le 26 mai, avec une manifestation simultanée dans 15 villes du Québec pour la liberté d'association. Plus de 2 000 personnes y participent à travers la province. [59]

Soutien de Pelletier et Marchand

Cette fois pourtant, le C.T.C. n'est plus aussi sûr de son succès. Le retrait des objections de Radio-Canada a un poids certain auprès des quatre représentants du patronat qui siègent au C.C.R.O. et qui, jusque-là, avaient voté contre les requêtes du S.G.C.T. De plus, le lobby de la C..S.N. auprès des députés fédéraux commence à donner des résultats et le Conseil est soumis à de fortes pressions. Gérard Pelletier et Jean Marchand, en particulier, ne cachent pas qu'ils appuient la C.S.N. et travaillent à faire gagner sa position. Certains, comme Gisèle Richard, croient qu'ils ne sont pas étrangers au revirement de la haute direction de Radio-Canada (Pelletier siège alors au comité parlementaire sur la radiodiffusion). Les enjeux sont évidemment

57. «Radio-Canada retire son opposition devant le C.C.R.O.», *Le Devoir*, 10 mai 1967, p. 3.
58. «Employés de Radio-Canada: escalade du bureau confédéral de la C.S.N. contre le C.C.R.O. et Ottawa», *La Presse*, 13 mai 1967. La recommandation adoptée dit: «que les C.A.P. rencontrent les candidats dans les 4 élections complémentaires, etc.» Bureau confédéral 11 et 12 mai 1967, pp. 14-15.
59. «Manifestaton simultanée de la C.S.N. dans 15 villes pour la liberté d'association», *La Presse*, 27 mai 1967, p. 3.

Gérard Pelletier, du temps où il œuvrait au service de l'information de la C.S.N., animait également des débats, notamment sur l'action politique.

politiques. La C.S.N. appuie encore officiellement une conception du fédéralisme proche de celle des libéraux et ceux-ci craignent qu'un échec de la centrale alimente les tendances séparatistes en son sein.

L'inquiétude du C.T.C. se reflète dans la conférence de presse que la F.T.Q. donne le 7 juin.[60] La centrale affirme que les droits chèrement acquis du syndicalisme canadien sont menacés par le lobby de la C.S.N. et de ses partisans au gouvernement fédéral. Le secrétaire général de la F.T.Q. accuse d'ailleurs Pelletier et Marchand d'être des «partisans fanatiques et aveugles de la C.S.N.» Rancourt affirme même à cette occasion que «tout se passe comme si une poignée d'intellectuels et d'agitateurs séparatistes à Radio-Canada avait plus d'importance au point de vue des relations fédérales-provinciales que les milliers de fonctionnaires fédéraux et de cheminots du Québec».[61]

Les journalistes débrayent

Le 22 juin — la décision ayant été promise pour le 12 juin — les journaux annoncent que c'est l'impasse au C.C.R.O.[62] Selon des sources autorisées, le patronat s'est rallié à la thèse des «unités naturelles» et il y a égalité des voix au Conseil. Cette nouvelle provoque le jour même un débrayage des journalistes de la salle des nouvelles de Montréal, excédés par les interminables délais. Pour la première fois dans l'histoire de Radio-Canada, la diffusion du téléjournal est supprimée. [63] De son côté, Marcel Pepin publie un communiqué qui accuse le C.T.C. d'obstruction au C.C.R.O. Pepin est alors de retour de Genève où il a participé à une réunion du B.I.T. Il en a profité pour dénoncer le C.C.R.O. et annoncer que la C.S.N. déposera une plainte officielle devant l'organisme. [64]

60. «La F.T.Q. menace de porter la question de Radio-Canada sur le plan politique», *La Presse*, 8 juin 1967, p. 32.
61. Idem.
62. «Unités naturelles de négociation: c'est l'égalité des voix au C.C.R.O.», *La Presse*, 22 juin 1967, p. 33.
63. «Les journalistes en session d'étude: pas de nouvelles en français à Radio-Canada hier», *Le Devoir*, 23 juin 1967, p. 3.
64. «Le C.T.C. doit cesser son obstruction à la liberté des travailleurs», *La Presse*, 23 juillet 1967.

Enfin, le 7 juillet, le C.C.R.O. rend une décision mais uniquement dans le cas des journalistes: rejet de la demande et maintien du T.N.G. comme unité de négociation.[65] Le conseil soutient que la nature du travail des journalistes fait en sorte que, nonobstant les différences linguistiques, les conditions de travail «sont identiques qu'ils travaillent aux informations du réseau français ou du réseau anglais et que, pour cette raison, un syndicat séparé n'est pas souhaitable. Pas encore de décision toutefois dans le cas des employés de la production, ce qui laisse croire à certains qu'elle pourrait être enfin favorable».[66]

Mais, une fois de plus, le 21 juillet, le C.C.R.O. rejette la requête de la C.S.N. Le S.C.F.P. n'a d'ailleurs pas attendu l'annonce officielle de la décision pour annoncer qu'il lancera une nouvelle campagne d'adhésion à Radio-Canada.[67] À la C.S.N., le texte fort ambigu et confus du Conseil laisse au début planer de faux espoirs[68] et à la mi-août, le C.C.R.O. doit émettre un communiqué pour clarifier sa position. L'échec de la C.S.N. est bel et bien confirmé.

---

65. «Le C.C.R.O. rejette la requête de la C.S.N.», *Le Devoir*, 8 juillet 1967, p. 1.
66. «Le C.C.R.O.: prochaine décision favorable?», *La Presse*, 8 juillet 1967, p. 1.
67. Le S.C.F.P. publie un communiqué à cet effet dès le 12 juillet, ce qui provoque la colère du S.G.C.T., qui croit que le syndicat rival dispose d'informations «privilégiées». Cf. correspondance entre G. Richard et le fonctionnaire exécutif en chef du C.C.R.O., 12 juillet 1967, 25 juillet 1967. Archives du S.G.C.T.
68. «Pepin: le C.C.R.O. n'a pas rejeté la requête de la C.S.N. à Radio-Canada», *Le Devoir*, 26 juillet 1967, p. 7. Le texte est tellement peu clair que la C.S.N. s'appuie sur l'interprétation qu'en a donné verbalement le fonctionnaire en chef du Conseil à la presse canadienne. La centrale dénoncera plus tard la traduction française du texte, dans le mémoire qu'elle soumettra au gouvernement fédéral. Le mémoire affirme que le paragraphe suivant est à «conserver dans le sottisier fédéral du français baragouiné»: «la décision a été prise que le conseil affirme, que donnant suite à une demande d'accréditation existe présentement, le Conseil demande que des motifs convaincants soient apportés à l'appui d'une telle proposition, et il fait remarquer que dans l'étude de la présente demande tandis que du nouveau témoignage a été avancé pour indiquer des circonstances changées depuis le temps de la demande faite auparavant par ce même syndicat demandeur, le Conseil est d'avis que ce nouveau témoignage n'est pas à ce moment, suffisamment décisif pour justifier le morcellement de la présente unité établie par tout le réseau dans les circonstances présentes...»

Colère du C.T.C.

L'impasse devant le Conseil étant totale, la question des «unités naturelles de négociation» passe entièrement au niveau politique. En effet, le 28 juillet, le gouvernement fédéral annonce son intention de modifier la Loi des relations ouvrières. [69]

La colère du C.T.C. est immédiate. Un communiqué de la centrale affirme que «le fractionnement d'unités pan-canadiennes de négociation en fonction de considérations linguistiques, culturelles, ethniques ou géographiques mettrait gravement en danger la position de milliers et de milliers de travailleurs». [70]

Pour sa part, la C.S.N. se réjouit et précise que les intérêts des travailleurs ont été sauvegardés et que le C.T.C. n'a peur que de perdre son pouvoir dans les luttes intersyndicales. Début août, les militants du S.G.C.T. à Radio-Canada distribuent un numéro spécial de leur journal, *La...Libre*, qui tire en manchette: «Ottawa cède à la C.S.N.» Tous les espoirs semblent alors permis. Le 4 août, le bureau confédéral décide que la centrale retournera siéger aux organismes fédéraux qu'elle boycottait depuis novembre 1966. [71]

Mais, pour les employés de Radio-Canada, c'est la réalité d'un vide syndical dangereux qui domine la vie quotidienne. Le S.G.C.T., non accrédité, tente bien de jouer quand même son rôle d'instrument de défense des conditions de travail (on l'a vu dans le cas des machinistes), mais l'essentiel de ses énergies est drainé par la lutte pour l'accréditation. Ses moyens sont limités: une tentative de financer le syndicat grâce à une cotisation volontaire des membres échoue.[72]

À l'automne, les événements se précipitent. Dans sa décision du 2 juillet, le C.C.R.O. a laissé entendre qu'il allait entreprendre les procédures pour désaccréditer l'I.A.T.S.E., depuis longtemps disparu dans les faits. Du côté du C.T.C., le S.C.F.P. et N.A.B.E.T. font campagne pour le remplacer alors que le S.G.C.T. est de nouveau paralysé par les délais imposés par la réglementation du C.C.R.O. Les militants de la C.S.N. craignent que par lassitude, les employés ne ral-

---

69. P. O'Neil, «Unités nationales de négociation: Ottawa modifiera les règles du jeu», *Le Devoir*, 29 juillet 1967, p. 1.
70. «Le C.T.C. proteste», idem.
71. Entrefilet dans *Le Devoir* du 5 août 1967, p. 4.
72. «Que se passe-t-il à Radio-Canada, côté syndical?», *Le Devoir*, 17 août 1967, p. 9.

lient l'un ou l'autre des syndicats C.T.C. pour enfin obtenir une forme de représentation collective. En plus, l'épuisement des militants après toutes ces luttes est réel et le risque de démobilisation est grand. On mise surtout sur la nouvelle loi promise par Ottawa.

Laberge attaque; Bourdon réplique

Mais le 17 novembre, le S.C.F.P. est en mesure de présenter une nouvelle demande d'accréditation au C.C.R.O. Louis Laberge en profite pour attaquer durement la C.S.N. qu'il accuse de «prostituer le syndicalisme dans les officines d'Ottawa».[73] Le président du S.G.C.T., Michel Bourdon, réplique en demandant à la F.T.Q. d'accepter la tenue d'un vote d'allégeance qui permettrait aux employés de trancher entre le S.C.F.P. et le S.G.C.T.[74] Marcel Pepin publie à ce moment une déclaration pour marquer le troisième anniversaire du conflit et dénoncer les lenteurs d'Ottawa qui n'a pas encore déposé le projet de loi annoncé en juillet.[75]

Ce n'est que le 4 décembre que le projet de loi est déposé aux Communes. Bien que son parrain officiel soit le ministre du travail Nicholson, c'est alors secret de polichinelle qu'il ne l'appuie qu'avec une réticence extrême et que Jean Marchand en est l'auteur. Le bill C-186 répond à l'essentiel des revendications de la C.S.N., en autorisant la création d'unités de négociation à caractère régional dans les entreprises pancanadiennes relevant du code du travail fédéral. Il met aussi fin au veto du C.T.C. et impose le bilinguisme au Conseil.[76] Dès le dépôt, le projet crée une véritable levée de boucliers, tant de l'opposition aux Communes (conservateurs et NPD s'y opposent), que du C.T.C. Le président du C.T.C., Claude Jodoin, accuse même la C.S.N.

---

73. «Laberge soutient que la C.S.N. fait preuve de malhonnêteté», *Le Devoir*, 20 novembre 1967, p. 7.
74. «Michel Bourdon donne la réplique à Louis Laberge», *Le Devoir*, 20 novembre 1967, p. 7.
75. *Le Devoir*, 18 novembre 1967, p. 2.
76. «Les unités de négociation: vers un revirement de la politique du Conseil des relations ouvrières», *Le Devoir*, 5 décembre 1967, p. 1.

«of attempting to break Confederation by seeking the fragmentation on national bargaining units». [77]

Le 17 décembre, la F.T.Q. annonce qu'elle luttera jusqu'au bout contre le projet de loi et qu'elle se joint à la campagne nationale décrétée par le C.T.C. pour faire échec au projet. La centrale pancanadienne et la F.T.Q. menacent de recourir à la grève générale pour empêcher l'adoption du bill C-186. [78]

Même le cabinet fédéral est profondément divisé face au projet de loi. Le 22 décembre, Jean Marchand donne une conférence de presse *off the record* à quelques journalistes, où il exprime ses craintes de voir le bill torpillé de l'intérieur même du Parti libéral.[79] Dans le compte rendu qu'en donne Pierre O'Neil, Marchand révèle que plusieurs députés fédéraux du Canada anglais sont opposés au projet de loi, y compris son parrain officiel, que l'appui du conseil des ministres est fragile et n'a été obtenu, semble-t-il, que grâce à la menace de démission de Marchand lui-même. Le ministre est pessimiste: «au maximum, le projet de loi risque d'être battu et au minimum, il pourrait être remis sur les tablettes à la fin de la session de façon à paraître complètement défiguré». [80]

Marchand justifie enfin son rôle dans ce dossier en expliquant que le C.T.C. «pousse la C.S.N. au séparatisme en l'éloignant des institutions fédérales». [81]

L'année 1967 se termine sur une décision du C.C.R.O. qui, après trois années d'inertie, désaccrédite officiellement l'I.A.T.S.E. le 27 décembre. Un vote tenu par la poste à ce sujet a donné les résultats suivants: 83 en faveur du maintien de l'I.A.T.S.E., 1 166 contre, 95 bulletins annulés.[82] Les employés de la production de Radio-Canada n'ont officiellement plus de syndicat pour les représenter.

---

77. «Labor bill faces still opposition», *The Montreal Star*, 5 décembre 1967, p. 1.
78. «La F.T.Q. entend mener une guerre totale contre le bill C-186, sur le C.C.R.O.», *Le Devoir*, 18 décembre 1967, p. 9.
79. «Une sérieuse bataille politique se prépare autour du bill C-186», *Le Devoir*, 23 décembre 1967, p. 1.
80. P. O'Neil, art. cité.
81. Idem.
82. Communiqué du ministère du Travail, Ottawa, 27 décembre 1967, p. 3.

La presse anglophone s'en mêle

Dès janvier 1968, le bill C-186 devient une question majeure de la politique canadienne. La presse anglophone, qui jusque-là avait peu parlé des démêlés de la C.S.N. avec le C.C.R.O., s'empare de l'affaire. *The Gazette* donne le ton en qualifiant le projet de «time bomb that could lead directly to the biggest labour explosion Canada has experienced in years».[83] Le journal cite Pelletier qui utilise des arguments analogues à ceux de Marchand pour défendre le projet de loi: «he warned that labour unrest and separatist feeling in Quebec would spread unless the rejection on C.N.T.U. applications was halted». [84] Le *Globe and Mail* explique que, pour les «colombes» (Trudeau, Marchand, Pelletier), il s'agit d'un test fondamental sur la place des francophones dans la Confédération. [85] D'ailleurs, à cette époque, la haute direction de Radio-Canada commence à s'inquiéter de la montée d'opinions «séparatistes» au sein de son personnel, en particulier chez les journalistes. [86]

Quant au Devoir, il se porte à la défense du projet de loi par la plume de Claude Ryan, au nom du respect de la spécifité culturelle du Canada français.[87] Le C.T.C. a raison, selon Ryan, lorsqu'il défend le principe général des unités nationales de négociation au nom de l'égalisation des conditions de travail et de lutte contre les inégalités à l'échelle du pays. Mais, poursuit-il, le problème spécifique que tente de résoudre le bill — et qui semble laisser le C.T.C. indifférent — c'est celui du statut particulier du Québec et de ses syndicats en raison de son caractère linguistique et culturel distinct.

À la mi-février, la commission parlementaire chargée d'étudier le projet de loi tient des audiences publiques. La C.S.N. est inquiète: malgré des démentis répétés[88], les rumeurs voulant que le bill sera «oublié» se font persistantes. Mais les militants du S.G.C.T. craignent surtout un «coup de force» du C.C.R.O. qui pourrait accréditer à toute

83. G. Pape, «New bill may bring huge labour explosion», *The Gazette*, 2 janvier 1968.
84. Michael Gillan, «Fierce union struggle to reach climax over CRLB bill», *The Globe and Mail*, 25 janvier 1968, p. B-4.
85. *The Gazette*, 2 janvier 1968.
86. Pierre Godin, «Offensive contre la gang Lévesque à Radio-Canada: Ouimet veut mettre fin à la propagande», *La Presse*, 20 janvier 1968, p. 1.
87. C. Ryan, «Le bill C-186 est-il vraiment scandaleux?», *Le Devoir*, 4 janvier 1968, p. 4.
88. «Mackasey: il n'est pas question de laisser mourir le bill C-186», Idem, p. 2.

vapeur le S.C.F.P. (qui a déposé une requête en novembre 1967) alors que le projet de loi est toujours à l'étude. Le 13 février, ces craintes sont confirmées: le C.C.R.O. convoque en effet pour le 19 les parties à se faire entendre sur la requête du S.C.F.P., c'est-à-dire au moment même où siège la commission parlementaire. De plus, le premier ministre Pearson en qualifiant le projet de loi non prioritaire, jette une douche d'eau froide sur les espoirs de la C.S.N. de voir le projet adopté avant la fin de la session en cours. [89] Le bureau confédéral réuni à Ottawa pour l'occasion, presse alors le gouvernement fédéral «d'empêcher le C.C.R.O. de procéder à cette audition. (...) La C.S.N. dit trouver incompréhensible qu'un organisme comme le C.C.R.O., qui relève du gouvernement, procède comme si de rien n'était alors qu'une nouvelle loi est à l'étude». [90]

Pepin à l'assaut

Dès l'ouverture des travaux de la commission parlementaire, le C.T.C. mobilise plusieurs centaines de partisans qui envahissent la salle d'audiences afin de manifester bruyamment leur opposition au projet de loi. Jean Marchand, en particulier, est brutalement pris à partie.[91] Le lendemain, c'est au tour de la C.S.N. de se faire entendre devant la commission. Marcel Pepin choisit d'attaquer le C.T.C. de front en l'accusant d'être contre la liberté syndicale et de ne chercher qu'à augmenter son nombre de cotisants pour affirmer son pouvoir au lieu de rechercher la défense des droits des travailleurs.

Les ministres se font conciliants à cette occasion. Pearson nuance ses propos de la veille sur le caractère «non prioritaire» du projet de loi; Mackasey rassure la C.S.N. à propos des audiences prochaines du C.C.R.O. en assurant «la centrale que même si cette discussion com-

---

89. Jacques Lafrenière, «Pearson à la C.S.N.: le bill C-186 n'est pas une priorité», *La Presse*, 14 février 1968, p. 77.
90. Résolution citée dans: P. O'Neil, «Unités nationales de négociation...», op. cit.
91. P. O'Neil, «Le Congrès du Travail engage brutalement la bataille du bill C-186», *Le Devoir*, 14 février 1968, p. 2. Le C.T.C. accuse le gouvernement de vouloir introduire le syndicalisme à l'européenne (pluralisme syndical au sein d'une même entreprise) avec le bill.

mence bientôt, le C.C.R.O. ne rendra pas la décision avant de longs mois, laissant entendre que le bill serait devenu loi à ce moment».[92] À peine deux semaines plus tard, le C.C.R.O. accréditait le S.C.F.P. pour représenter les employés de la production de Radio-Canada...

Le Conseil tient en effet les audiences qu'il a annoncées les 19 et 20 février. Outré, le S.G.C.T. envoie une délégation qui lit une déclaration et se retire ensuite. Celle-ci se concluait ainsi:

«Nous sommes venus vous dire que nous en avons assez d'être traités comme une fiction. Nous sommes venus vous dire que nous en avons assez d'être traités avec mépris par un organisme dont le rôle premier est de veiller à ce que les travailleurs obtiennent le droit de négocier librement avec leurs employeurs. (...) Maintenant que vous savez que nous existons, nous nous retirons.» [93]

Recrutement

Entre-temps, à Montréal, le S.G.C.T. lance une nouvelle campagne de recrutement pour démontrer qu'il a toujours l'appui d'une majorité d'employés. En quelques jours, le syndicat recueille suffisamment de signatures pour déposer une nouvelle requête touchant les employés de la salle des nouvelles. À la production, le travail est plus difficile.[94] Mais le C.C.R.O. coupe court à ces efforts en faisant, pour une fois, diligence. Dès le 27 février, la nouvelle de l'accréditation du S.C.F.P. porte un dur coup au S.G.C.T. La campagne d'organisation en cours doit être suspendue car les règlements du C.C.R.O. interdisent tout dépôt d'une nouvelle requête dans les 12 mois qui suivent une nouvelle accréditation. [95]

---

92. P. O'Neil, «La C.S.N. obtient l'assurance que le bill C-186 ne sera pas relégué aux oubliettes», *Le Devoir*, 15 février 1968, p. 2.
93. Texte dactylographié, non titré et non daté, archives du S.G.C.T.
94. Procès-verbal du conseil syndical du S.G.C.T., 20 février 1968.
95. Procès-verbal du conseil syndical du S.G.C.T., 28 février 1968. Après le refus du conseil, le S.G.C.T. envoyait un télégramme (le 21) demandant au Conseil de ne pas prendre de décision sans l'avoir auparavant entendu. Le procès-verbal mentionne qu'on ne croyait pas à une telle démarche et ce n'est que devant l'insistance de l'exécutif de la C.S.N. que le télégramme a été envoyé.

Le 29 février, le S.G.C.T. donne une conférence de presse pour protester contre l'arbitraire du Conseil. Michel Bourdon y réaffirme que son syndicat a toujours l'appui d'une majorité d'employés; que la majorité du S.C.F.P. (63 pour cent) au Québec a été obtenue grâce à une campagne d'intimidation. Le S.G.C.T. réclame la tenue d'un vote d'allégeance secret qui seul permettra de déterminer lequel des deux syndicats dispose vraiment de la majorité. «Le nombre de cartes n'est qu'une indication et seul un scrutin décidera où se trouve la majorité», soutient Michel Bourdon.

Le Conseil a accrédité le S.C.F.P. sans passer par un vote, comme en novembre 1966, parce que cette procédure n'est obligatoire que lorsqu'il s'agit de déloger un syndicat déjà en place. Or, le C.C.R.O. s'est finalement décidé, à l'automne précédent, à faire disparaître officiellement l'I.A.T.S.E. Les procédures dans ce but ont été entreprises au moment où le S.C.F.P. déposait sa nouvelle requête. De là à penser qu'il y a une stratégie concertée, il n'y a qu'un pas...

Au S.C.F.P. de force

Le S.G.C.T. fait face à un nouveau tournant. Après quatre ans de lutte, il est accrédité pour le petit groupe des concierges et opérateurs d'ascenseurs; les journalistes attendent la réponse à leur dernière requête. Mais pour le groupe de production, celui qui a été à l'origine du syndicat et qui a fourni l'essentiel des énergies militantes, il faut dorénavant compter avec la réalité du S.C.F.P. Particulièrement à un moment où l'urgence de négocier une nouvelle convention collective se fait sentir, un dilemme se pose: faut-il militer au S.C.F.P.? Dans plusieurs sections, les employés demandent à leur délégué S.G.C.T. de les représenter au S.C.F.P. afin de défendre leurs intérêts. Lors d'un bureau de direction tenu le 26 mars, le débat a lieu sur ce problème.

Après une discussion, qualifiée de «fort animée» dans le procès-verbal, l'exécutif vote une résolution demandant aux membres du S.G.C.T. de ne pas signer de cartes S.C.F.P. L'exécutif recommande toutefois d'assister aux assemblées générales «afin de veiller à la défense de leurs intérêts».[96] Cette attitude est motivée par le fait que le bill C-186 n'est pas encore mort. On espère que les changements au code du travail permettront au S.G.C.T. de revenir à la charge.

La commission parlementaire, de son côté, continue d'étudier le projet de loi, recevant mémoires sur mémoires de syndicats du C.T.C. opposés à toute modification de la réglementation du C.C.R.O. Entre-temps, Pearson quitte la tête du parti libéral et est remplacé par Pierre Elliott Trudeau. Des élections générales sont convoquées pour le 25 juin 1968. Les Communes mettent fin à leurs travaux sans que le projet de loi soit même revenu en deuxième lecture.

Pendant la campagne électorale, les libéraux promettent bien entendu que le bill C-186 renaîtra de ses cendres s'ils sont réélus.[97] Mais, comme le souligne une analyse dans *La Presse* du 1er mai, pour le gouvernement, le projet de loi a perdu de son intérêt et de son urgence puisque «ironie de la situation, le cas de Radio-Canada, qui a lancé tout le débat, s'est amorti en raison de la victoire du S.C.F.P.».[98] En effet, après son élection, le gouvernement Trudeau s'empresse d'enterrer à tout jamais le projet de loi C-186 et confie plutôt à un comité de spécialistes «la tâche d'étudier les lois ouvrières canadiennes».[99]

Le S.G.C.T. garde toutefois une carte dans son jeu. Fin mai, le C.C.R.O. annonce qu'il entendra le 10 juin la troisième requête en accréditation des journalistes des salles de nouvelles de Québec et Montréal. Le groupe des journalistes, plus homogène que celui de la production (qui est beaucoup plus gros et dispersé en plusieurs services) appuie solidement le S.G.C.T. La majorité y est sans équivoque. De plus, à la différence de la production, les journalistes sont non seulement toujours représentés officiellement par un autre syndicat (T.N.G.), mais ce sont les partisans du S.G.C.T. qui dirigent le local montréalais de la Guilde.

96. Procès-verbal du bureau de direction, 26 mars 1968. Le conseil syndical adopte la même position à une forte majorité lors de sa réunion du 2 avril.
97. «Marchand: le bill C-186 ressuscitera», *Le Devoir*, 6 mai 1968, p. 2.
98. «Des spécialistes cherchent un moyen de faire oublier l'actuel bill C-186», *La Presse*, 1er mai 1968, p. 114A.
99. «Stanfield, au sujet du bill C-186: le pays a le droit de savoir si le gouvernement parle le même langage après l'élection», *Le Devoir*, 11 juillet 1968. p. 7.

Débrayage spontané

Deux semaines après les audiences, survient la célèbre affaire Devirieux. Ce reporter, Claude-Jean Devirieux a été suspendu en raison de sa couverture jugée partiale de l'action policière lors de l'émeute du 24 juin 1968. De façon spontanée, les journalistes de Montréal débrayent le lendemain, empêchant ainsi la diffusion de l'émission sur les élections.

Le 17 juillet 1968, à l'étonnement de plusieurs, le C.C.R.O. fait volte-face et reconnaît aux journalistes le droit de former une unité régionale de négociation au sein du S.G.C.T. [100] Dans sa décision, le C.C.R.O. s'étend longuement sur les motifs des journalistes et cite longuement les témoignages des deux représentants du S.G.C.T. (Michel Bourdon et Denis Vincent) pendant plusieurs pages. Dans leurs témoignages, Michel Bourdon et Denis Vincent invoquent surtout des motifs d'ordre géographique: la difficulté de coordonner un syndicat si étendu, le coût des réunions nationales, la volonté des journalistes de contrôler plus directement leurs conditions de travail, sans devoir passer auparavant par le laborieux processus d'harmonisation de leurs revendications avec d'autres journalistes dispersés aux quatre coins du pays, etc.

Dans sa décision, le Conseil se dit «frappé... par l'indifférence manifestée... à l'égard de leurs collègues dans d'autres salles de nouvelles (et qu') il semble que... la Guilde a fait des efforts extraordinaires au cours des 18 derniers mois pour répondre aux opinions du groupe d'employés dissidents». Le C.C.R.O. ajoute même: «De l'avis du Conseil, les dirigeants de la Guilde doivent être félicités pour leurs efforts en vue d'obtenir un consensus d'opinion et de maintenir l'unité au sein de l'unité établie.» [101]

Malgré cela, le C.C.R.O. ordonne la tenue d'un vote entre le S.G.C.T. et T.N.G. pour trois raisons:

— il est clair que le S.G.C.T. dispose au Québec de «l'appui d'une très grande majorité des employés du groupement» et la Guilde

---

100. Pierre Godin, «Le C.C.R.O. et Radio-Canada: les journalistes peuvent adhérer au syndicat C.S.N.», *La Presse*, 20 juillet 1968, p. 2.
101. Témoignage de Denis Vincent, Décision..., op. cit., p. 11.

a reconnu tacitement cette situation en leur laissant la direction du local;

— lors de la première requête du S.G.C.T., 83 pour cent des employés des nouvelles à Montréal et Québec venaient tout juste d'approuver une nouvelle convention, ce qui démentait «que la Guilde ne s'occupait pas de façon satisfaisante des intérêts des employés du service des nouvelles travaillant dans ces centres». Ce facteur n'existe plus;

— Radio-Canada n'a pas fait objection au fractionnement de l'unité établie, montrant ainsi qu'elle ne croit pas qu'une telle situation nuirait à ses relations de travail. [102]

La réaction du C.T.C. est vive. La plupart de ses syndicats à Radio-Canada sont en période de renouvellement de leurs conventions collectives et ont entrepris de coordonner leurs efforts. Le 23 juillet, N.A.B.E.T., le S.C.F.P., T.N.G. et A.R.T.E.C. forment un cartel pour s'opposer au S.G.C.T.[103] Le 7 août, ce cartel annonce qu'il exclut la C.S.N. «de toute action conjointe dans le cadre des négociations actuelles avec la société d'État».[104]

Le 8 août, finalement, la direction de T.N.G. décide de mettre sous tutelle sa section de Montréal dirigée par le S.G.C.T. (Michel Bourdon par exemple, était à la fois président du S.G.C.T. et conseiller national de T.N.G.; Denis Vincent était président du local, etc.).[105] En même temps, T.N.G. dépose une requête en révocation de la décision du C.C.R.O. le 30 juillet; l'étude de la requête est reportée au 12 août.[106]

Le terrain est donc déblayé pour la tenue du vote décidé par le C.C.R.O. Celui-ci se tiendra les 5 et 6 septembre: 91 personnes

102. *Décision du C.C.R.O.*, op. cit., pp. 11-13.
103. «À Radio-Canada: le C.T.C. refuse de négocier conjointement avec la C.S.N.», *La Presse*, 8 août 1968, p. 41.
104. «Cartel syndical pour lutter contre le maraudage à Radio-Canada», *La Presse,* 24 juillet 1968, p. 48.
105. «Tutelle syndicale pour les journalistes de Radio-Canada», *La Presse*, 9 août 1968, p. 13. «La mise en tutelle des reporters de Radio-Canada n'étonne par les partisans de la C.S.N.», *La Presse*, le 12 août 1968.
106. *Requête en révocation* et *Décision du Conseil*, Ottawa, ministère du Travail, 12 août 1968, dossier 7-66-2055; C.R.R.O., certificat d'accréditation du S.G.C.T., 23 septembre 1968. Archives du S.G.C.T.

avaient droit de vote à Québec et Montréal. 31 votèrent en faveur du maintien de T.N.G., 60 votèrent pour le S.G.C.T. Le 23 septembre 1968, le C.C.R.O. accrédite le S.G.C.T. pour représenter les employés des salles de nouvelles de Radio-Canada à Montréal et à Québec. [107]

107. Lettre du fonctionnaire exécutif en chef du C.C.R.O. à Michel Bourdon, 6 septembre 1968, dossier 7-66-2055; C.C.R.O., certificat d'accréditation du S.G.C.T, 23 septembre 1968. Archives du S.G.C.T.

La première page de *La Presse libre*, le journal des grévistes de *La Presse* lors du conflit de 1964.

Le plus long conflit jamais vécu par un syndicat affilié à la F.N.C.: 36 mois avant de rentrer au travail à CHNC, New-Carlisle.

La vie syndicale des professionnels de l'information a toujours été au centre des préoccupations manifestées par les membres des syndicats affiliés à la F.N.C. Les 13 et 14 février 1981, le Conseil central de Montréal de la C.S.N. et la Fédération organisaient un colloque sur cette question. Gérald Larose, président du Conseil central, Laval Le Borgne, président de la F.N.C., Richard Nantel, membre de l'exécutif du Conseil central, Jennifer Robinson, du journal *The Gazette,* Jacques Lafrenière du Syndicat des journalistes de Radio-Canada et Louis-Gilles Francoeur du *Devoir.*

Laval Le Borgne, président-fondateur de la F.N.C., aux côtés des grévistes des Publications Québecor.

Le directeur du mensuel français *Le Monde diplomatique*, Claude Julien, assistait au congrès de 1984 de la F.N.C. Il est entouré ici du président de la F.N.C., Maurice Amram et du président de la C.S.N., Gérald Larose.

Jean-Claude Leclerc, éditorialiste au *Devoir*, Alberto Rabillota, ancien directeur de la division canadienne de l'agence de presse Prensa Latina et Norbert Rodrigue, ex-président de la C.S.N., s'entretiennent lors d'une réception organisée à l'occasion du lancement du numéro spécial de *La Dépêche* consacré à la crise au *Devoir*.

L'exécutif 1986-1988 de la Fédération nationale des communications: Serge Bouchard, Daniel Côté, Marie-Claire Morency, Maurice Amram, Luc Rufiange, Robert Mitchell, René Thibodeau.

Marc Thibault, président du Conseil de presse du Québec, Maurice Amram, président de la F.N.C., et Réal Barnabé, président de la Fédération professionnelle des journalistes du Québec, participent au panel qui clôturait le colloque international sur la protection des sources et matériel journalistiques tenu sous l'égide de la F.N.C. en septembre 1988.

R. Thibodeau, l'un des pionniers du syndicalisme dans le secteur des communications.

Postface

«Un livre n'est excusable qu'autant
qu'il apprend quelque chose»
Voltaire

Sans prétendre constituer une fresque historique, ce livre a le mérite de situer précisément les racines profondes de la Fédération nationale des communications (F.N.C.-C.S.N.).

En ce sens, il atteint l'objectif principal fixé en 1979, celui d'identifier les origines du syndicalisme chez les journalistes québécois.

Bien que «collective et largement anonyme», la recherche qui a conduit à la réalisation de cet ouvrage, a nécessité de la part de celles et ceux qui s'y sont impliqués, beaucoup de détermination, de conviction et de patience.

Je tiens, au nom de la F.N.C., à les remercier chaleureusement et à leur exprimer toute ma gratitude.

J'adresse des remerciements particuliers à François Demers qui a spontanément accepté de procéder à la rédaction finale de ce livre.

À l'évidence, il revenait de droit à un journaliste, même recyclé dans l'administration et l'enseignement supérieur, d'écrire cette histoire du syndicalisme chez les journalistes d'ici.

L'heureux résultat de sa contribution révèle que malgré les apparences, il n'a jamais cessé d'être authentiquement à la fois journaliste et syndicaliste.

Ainsi, sa propre implication dans la mise sur pied de la F.P.J.Q. et de la F.N.C. lui a permis d'apporter dans cet ouvrage, un éclairage sûrement inédit pour plusieurs, sur «ces deux filles de syndicats de journalistes C.S.N., rivales et complémentaires, pour assurer l'affirmation sociale et professionnelle des journalistes».

Une mise au point s'impose cependant quant à cette opinion, car trop de confusion entoure encore la présence de ces deux organisations au Québec.

Cette confusion s'exprime généralement ainsi : «la F.P.J.Q. s'occupe des questions professionnelles touchant les journalistes, tandis que la F.N.C. s'occupe des questions de pain et de beurre de ces mêmes journalistes !»

Il suffit pourtant de lire les documents des diverses instances de la F.N.C. depuis 16 ans, de même que les conventions collectives de nos membres journalistes, pour constater que la préoccupation d'une presse libre et démocratique est au cœur de notre vie syndicale depuis notre naissance en 1972.

Par ailleurs les clauses professionnelles de nos conventions collectives et touchant les journalistes font école au Canada et reflètent cette orientation fondamentale de la F.N.C..

La F.P.J.Q. quant à elle, permet de promouvoir, au-delà et indépendamment des lignes hiérarchiques des entreprises de presse, l'idée qui est au cœur même de l'orientation principale de la F.N.C., d'une presse et d'une profession journalistique véritablement autonomes, libres et démocratiques.

Cela est dû au fait qu'elle seule regroupe à la fois les journalistes cadres et artisans, syndiqués ou non.

C'est là je pense sa mission première, car pour ce qui est de la poursuite de ces mêmes objectifs au nom des artisans syndiqués de l'information, le bilan, les succès et la réputation de la F.N.C. depuis 16 ans parlent d'eux-mêmes.

On constate donc aisément qu'il ne peut y avoir que de la complémentarité entre les rôles de nos deux organisations.

Cela étant précisé, il est vrai que la volonté d'affirmation des journalistes, qui remonte à 1850 au moins, ne s'est jamais démentie depuis.

Il est aussi remarquable de constater qu'à cette époque autant qu'aujourd'hui, les tentatives légitimes de regroupement et d'action collective qui découlaient de cette volonté d'affirmation se sont toujours heurtées à une implacable répression.

De Trefflé Berthiaume en 1903, à nos jours, en passant par Maurice Duplessis, les tentatives visant à isoler les journalistes, à discréditer les organisations qu'ils se sont données et à dénaturer le sens de leurs luttes et de leur travail, n'ont pas manquées.

De fait, les patrons de presse et les éléments conservateurs de notre société se sont toujours trouvé des porte-voix pour défendre leurs intérêts et leurs privilèges ainsi que pour tenter d'asservir les journalistes, qu'ils ont toujours souhaité dociles et vulnérables.

L'idée d'encadrer les journalistes dans une corporation professionnelle, telle que lancée à quelques reprises par certains politiciens, n'est qu'un reflet de cette volonté de contrôler et mettre au pas les artisans d'un métier qui se veut accessible, ouvert, pluraliste et libre.

La magistrale mise au point de Gérard Pelletier en 1955 demeure encore d'actualité aujourd'hui, tant les objectifs réactionnaires de ces éléments conservateurs ont peu évolué et parce que la modification de leur discours et de leur comportement font encore malheureusement trop souvent illusion. Non, Jean Paré n'a rien inventé en 1987, pas plus que Gérard Filion en 1955 ou Roger Lemelin en 1978 et, plus que jamais, le droit à l'information reste à conquérir.

Que ce soit au plan de l'éthique ou de la protection des sources et matériel journalistiques, que ce soit au plan de la transparence des politiques d'information ou de la réglementation de la presse écrite, un travail important reste à faire pour réhabiliter l'information et la notion de service public inhérents aux entreprises de presse tant écrite qu'électronique.

Certes, les conditions de travail des journalistes québécois ont évolué bien que, si l'on examine les conditions dans lesquelles les journalistes non syndiqués, particulièrement ceux en région, exercent leur métier, on peut légitimement s'interroger sur cette évolution.

Il demeure que malgré l'action syndicale, l'éclatement des valeurs et des références, de même que le redéploiement actuel du capital, font en sorte que les acquis des journalistes sont constamment menacés, remis en question ou ignorés.

La mainmise actuelle des gestionnaires sur les salles de rédaction, dans un contexte de concentration multimédia et de propriété croisée, fait en sorte que l'information est désormais conditionnée par les sondages et le marketing, pervertissant ainsi dangereusement sa mission principale.

Des défis nouveaux se posent, des solidarités sont à bâtir et les journalistes, quel que soit par ailleurs leur statut, doivent être conscients, plus que jamais, de la responsabilité sociale qui leur incombe.

À cet égard, la présence au sein de la F.N.C. de membres non-journalistes est particulièrement précieuse, car leur implication dans les débats touchant les journalistes permet en quelque sorte d'apporter le point de vue du public.

Leur critique constructive, leurs appels à la vigilance, permettent d'apporter aux analyses et prises de position de la F.N.C. une dimension et une pertinence indéniables.

De ces femmes et de ces hommes, il n'est que peu question dans cet ouvrage, l'objectif de la recherche débutée en 1979 ne les visant pas.

Il est cependant essentiel de mentionner que sans leur présence, sans leurs luttes, sans leur solidarité, sans leur contribution aux débats et leur compréhension des enjeux propres aux questions d'information et de liberté de presse, la F.N.C. ne serait pas devenue l'organisation syndicale la plus importante et la plus représentative du secteur des communications au Québec.

Ce livre qui mentionne à peine leur existence, est aussi un hommage à leur contribution militante et responsable.

Il en va de même pour ce qui est des officiers, des conseillers et secrétaires de la F.N.C.

Depuis 1972 et malgré l'évolution de la F.N.C., les conditions de travail dans cet organisme à la taille réduite et aux ressources financières limitées, ont toujours été exigeantes, difficiles.

Sans les sacrifices, la passion, l'idéal et le feu sacré qui ont animé ces militantes et militants qui ont œuvré tant à l'exécutif qu'aux services conseil ou au secrétariat de la F.N.C. depuis 1972, cette dernière n'aurait pu devenir ce qu'elle est aujourd'hui.

En ce sens, ces personnes méritent d'être placées au même rang de pionniers que ceux qui ont défriché le terrain avant 1972.

Il en va de même pour ce qui est des membres du comité exécutif et des membres du bureau confédéral de la C.S.N. qui, en 1972, n'ont pas hésité à autoriser la création de la F.N.C., même si les critères permettant une telle naissance n'étaient pas réunis.

Je tiens, à cet égard, à rendre un hommage particulier à Norbert Rodrigue qui, en tant que premier vice-président de la C.S.N. à l'époque, avait la responsabilité de piloter ce dossier.

Sa vision du monde des communications, sa foi dans le dynamisme et dans la combativité des syndicats qui allaient constituer la F.N.C., n'ont pas été trahies depuis.

Si ce dynamisme et cette combativité ont donné les résultats spectaculaires que l'on connaît et ont inspiré le respect envers la F.N.C., cela est dû aussi à l'engagement et à l'implication de la C.S.N., dans chacune des luttes livrées par les syndicats de la F.N.C. et chaque fois où la Fédération a sollicité son appui.

Cette attitude de la centrale est révélatrice de la solidarité et du respect de l'autonomie de ses membres, ces deux caractéristiques fondamentales de l'affiliation à la C.S.N..

La fierté et le sentiment d'identification que la F.N.C. éprouve envers la C.S.N. n'ont d'égal que la fierté de compter parmi les affiliés de la fédération, des syndicats dont les luttes courageuses ont façonné, au fil des ans, à la fois la pratique journalistique au Québec et cet instrument de lutte que constitue la F.N.C..

Quelques-unes de ces luttes sont mentionnées dans cet ouvrage, d'autres sont plus développées, comme celles de Radio-Canada, de *La Presse* et du *Devoir*, illustrant combien de sacrifices, combien d'imagination, combien de détermination et combien de solidarité il a fallu déployer pour assurer à la fois le droit à l'information et le droit à la syndicalisation des journalistes.

C'est Mia Doornaert, la présidente de la Fédération internationale des journalistes, qui affirmait, lors du colloque international organisé par la F.N.C. les 23 et 24 septembre 1988 à Montréal et portant sur la protection des sources et matériel journalistiques, qu'«à la F.I.J., il y a deux priorités : 1) la liberté de presse et de l'information; 2) la libre organisation syndicale des journalistes. Les deux sont inextricablement liées; à la F.I.J., nous sommes journalistes, nous sommes syndicalistes, nous sommes les deux, sans complexe et avec conviction.»

À l'évidence il reste à développer ici, et particulièrement chez celles et ceux qui sont arrivés au métier ces dernières années, ce double sentiment de fierté et d'appartenance envers le journalisme et le syndicalisme, pour mieux assumer le haut niveau de conscience sociale nécessaire à la pratique de ce métier.

Il est à souhaiter que ces rappels permettront d'illustrer le fait que les conditions dans lesquelles s'exerce aujourd'hui le métier de journaliste ont été conquises de haute lutte par les organisations syndicales de journalistes, et par elles seules.

Il reste encore beaucoup à faire et les exemples mentionnés dans ce livre devraient pouvoir nous inspirer.

C'est dans cette optique, dans le but de susciter engagement et fierté de la part des journalistes d'aujourd'hui et de demain et pour tenter de développer une mémoire collective chez les journalistes du Québec, que la F.N.C. a décidé de consacrer les revenus découlant de la vente de ce livre à la mise sur pied d'un fonds de recherche.

Ce fonds, géré par l'Université Laval de Québec, permettra d'octroyer des bourses de recherche à des étudiants en journalisme.

J'ose espérer qu'ils seront nombreux à vouloir fouiller davantage chaque page, chaque volet abordés dans cette histoire du syndicalisme chez les journalistes québécois.

Maurice Amram
Président
F.N.C.-C.S.N.

BIBLIOGRAPHIE

BARRETT, Bernard, *Les journalistes québécois*, Mémoire (2e cycle), Université Laval, 1980.

BOURDON, Joseph, *Montréal-Matin, son histoire, ses histoires*, Montréal, La Presse, 1978 , 282 p.

COMITÉ spécial du Sénat sur les moyens de communications de masse, DAVEY, Keith, et al., *Le miroir équivoque: rapport du comité spécial du Sénat sur les moyens de communications de masse, vol. 1*, Ottawa, Imprimeur de la Reine, 1970, 295 p.

COMITÉ spécial du Sénat sur les moyens de communications de masse, DAVEY, Keith, et al., *Les Mots , la Musique et les Sons: L'Économie des moyens de communications de masse au Canada — étude réalisée par la Société Hopkins, Hedlin Limited. Rapport du comité spécial du Sénat sur les moyens de communications de masse, vol. 2*, Ottawa, Imprimeur de la Reine, 1970, 550 p.

COMITÉ spécial du Sénat sur les moyens de communications de masse, DAVEY, Keith, et al., *Bons, mauvais, ou simplement inévitables? Études choisies. Rapport du comité spécial du Sénat sur les moyens de communications de masse, vol. 3*, Ottawa, Imprimeur de la Reine, 1970, 317 p.

Commission royale sur les quotidiens, KENT ,Tom, et al., (Rapport), Ottawa, Centre d'édition du gouvernement du Canada, 1981, 323 p.

CSN et CEQ, *Histoire du mouvement ouvrier au Québec: 150 ans de luttes*, Recherches effectuées par un collectif, nouvelle édition revue et augmentée, (s. l.), Confédération des syndicats nationaux et Centrale de l'enseignement du Québec, 1984, 328 p.

DEOM, Esther, *Les journalistes, syndiqués et professionnels de l'information*, thèse de doctorat, Écoles des relations industrielles, Faculté des arts et des sciences, Université de Montréal, 1987, 377 p.

DESROCHERS, Luc, *Les travailleurs de l'imprimerie et la Fédération catholique des métiers de l'imprimerie 1921-1941*, Mémoire (2ᵉ cycle), Université du Québec à Montréal, 1978, 334 p.

DULUDE, André, *Politique comparée des syndicats de journalistes de quelques quotidiens du Québec et du Canada-anglais*, Mémoire (2ᵉ cycle), Université de Montréal, 1978, 368 p.

FELTEAU, Cyril, *Histoire de La Presse*, Montréal, La Presse, 1983, 2 tomes.

FULFORD, Robert et al., *Du côté des journalistes: études sur l'industrie des quotidiens*, Commission royale sur les quotidiens, publications de recherche, vol. 2, Ottawa, Centre d'édition du gouvernement du Canada, 1981, 210 p.

GINGRAS, Pierre-Philippe, *Le Devoir*, Montréal, Libre-Expression, 1985, 295 p.

GODIN, Pierre, *La lutte pour l'information*, Histoire de la presse écrite au Québec, Montréal, Éditions Le Jour, 1981, 317 p.

GOSSELIN, André, *Sociologie d'une profession: les journalistes québécois*, mémoire de maîtrise, Département de sociologie, Faculté des arts et des sciences, Université de Montréal, 1986, 343p.

HÉBERT, Gérard et al., *Les relations de travail dans l'industrie des quotidiens*, Commission royale sur les quotidiens, publications de recherche, vol. 5, Centre d'édition du gouvernement du Canada, Ottawa, 1981, 216 p.

KEABLE, Jacques, *L'information sous influence: Comment s'en sortir* Montréal, Éditions VLB, 1985, 236 p.

PROULX, Gilles, *La Radio d'hier à aujourd'hui*, Québec, Éditions Libre-Expression, 1986, 187 p.

RABOY, Marc, *Libérer la communication: Mouvements sociaux au Québec, 1960-1980*, Montréal, Éditions Nouvelle Optique, 1983, 154 p.

ROUILLARD, Jacques, *Histoire de la CSN 1921-1981*, (s. l.), Boréal-Express, Confédération des syndicats nationaux, 1981, 335 p.

SAUVAGEAU, Florian et al., *Les Journalistes: dans les coulisses de l'information*, Montréal, Québec/Amérique, 1980, 421 p.

Lithographié au Canada
sur les presses de
Métropole Litho Inc.